AMRA

Patricia Cori

LICHTBOTSCHAFTEN VOM SIRIUS 2

Wachstum, Aufstieg, Entfaltung: Auf dem Weg in höhere Dimensionen

Aus dem Amerikanischen von
Anna Hahn

AMRA

Brandheiße Infos finden Sie regelmäßig auf:
www.facebook.com/AMRAVerlag

Besuchen Sie uns im Internet:
www.AmraVerlag.de

Eine Originalausgabe im AMRA Verlag
Hotline: + 49 (0) 61 81 – 18 93 92
Kontakt: Info@AmraVerlag.de

Herausgeber & Lektor	Michael Nagula
Einbandgestaltung	Guter Punkt
Layout & Satz	Birgit Letsch
Covermotiv	Josephine Wall
Druck	CPI books GmbH

ISBN Printausgabe 978-3-95447-355-7
ISBN eBook 978-3-95447-357-1

Die vorliegende Zusammenstellung neuester Schriften umfasst die Kapitel 10 bis 18 des US-Buches *The New Sirian Revelations*, North Atlantic Books, California, die von Thomas Görden übersetzte Transkription eines Videos der Autorin, ein eigens für diese Ausgabe entstandenes Vorwort und Schlusswort sowie exklusiv gechanneltes Material nach Fragen des Verlags als Welterstveröffentlichung.

Inhalt

Für alle, die es danach drängt,
sich von alten Gleisen des Denkens
zu verabschieden, die Matrix,
in der sie sich bisher bewegt
haben, zu verlassen …
und die den Mut aufbringen,
die Wahrheit zu leben …

Einleitung des Mediums

Während ich hier sitze und die Einleitung zu meinem zweiten Buch mit *Lichtbotschaften vom Sirius* verfasse, taumelt die Zeit wild kreiselnd aus sich selbst heraus und wir alle erleben mit, wie das Raumzeitkontinuum mutiert – und ich kann kaum fassen, dass wir das Jahr 2019 bereits wieder hinter uns lassen.

Und auch wir kreiseln schnell und wild in ein höheres Feld planetarer, sozialer und individueller Veränderung. Das ist kein leichter Prozess. Der aufregende, spannende Teil dieser Verschiebung scheint immer kurz bevorzustehen, aber niemals einzutreffen. All jene unter uns, die weit genug erwacht sind, um zu verstehen, dass wir uns weiterentwickeln, damit die Erde und wir selbst mit neuen Frequenzen mitschwingen können, fragen sich: »Wann?«

Wann wird uns der Aufstieg, den der Hohe Rat vom Sirius und all die anderen Channelmedien, die Informationen von außerirdischen und außerdimensionalen Wesen übertragen, nun schon so lange ankündigen, endlich aus dem Dichtegrad hinausführen, in dem wir in dieser kampfreichen Zeit irgendwie festzuhängen scheinen – einer Zeit des Kampfes zwischen

Dunkelheit und Licht, der sich auf unserem Planeten und im menschlichen Geist abspielt.

Zahlreich sind die Sternensamen unter uns, die zu dieser Zeit auf die Erde gekommen sind, um den starken Strudel der großen Verschiebung zu erleben, die sich gerade ereignet, nicht nur auf unserem wunderschönen und geliebten Planeten, sondern im gesamten Solarbereich, in dem sich unsere Planetenfamilie auf den Aufstiegsprozess vorbereitet, der bereits im Gange ist. Viele ehemalige Bewohner von Atlantis sind dazugekommen, um dabei zu helfen, dass diesmal das Licht gewinnt. Auch ich zähle zu diesen Menschen: Ich kam mit sehr konkreten Erinnerungen an den Niedergang von Atlantis zur Welt – auch daran, wie ich während der großen Katastrophe ertrank. Und ich erinnere mich obendrein an die kollidierenden Kräfte, die Atlantis schließlich in den Abgrund rissen.

Und nun sind wir wieder an einem ähnlichen Punkt angelangt. Wir haben mit einigen Herausforderungen zu kämpfen: einem Planeten, der sich im Umbruch befindet, verschiedenen zerstörerischen Kräften, einem alles andere als wünschenswerten Wettlauf, an dessen Ziel die Künstliche Intelligenz steht, dazu weitere technologische Entwicklungen, die uns die Menschlichkeit aussaugen.

In diesen neuen Botschaften des Hohen Rats vom Sirius, die 1996 einsetzten, als ich das Buch *Kosmos der Seele* channelte, erfahren wir, dass die Dinge, deren Manifestierung uns für diese Jahre vorhergesagt wurden, auch tatsächlich eingetroffen sind. Und nun stecken wir mittendrin: Wir verlassen unseren Dichtegrad, sehen uns mit unserem kollektiven Karma konfrontiert und arbeiten uns vor in die vierte Dimension und das, was dahinter liegt.

Wenn wir uns umsehen, erkennen wir überall um uns herum Zerstörung – so viel Leid, Angst und Verleugnung, dass sich selbst die überzeugtesten Lichtarbeiter unter uns hin und wieder kopfschüttelnd fragen, ob wir uns wohl wirklich auf dem Weg hinaus aus alldem befinden … auf dem Weg in das Licht eines Bewusstseins, das sich weiterentwickelt … auf dem Weg in höhere Dimensionen. Denn schließlich sind wir immer noch Menschen. Wir empfinden Empathie für unsere Mitmenschen und spüren, was ihr Schmerz und ihre Verwirrung in die kollektive Seele einspeisen. Wir spüren all das, weil wir erwacht sind und weiterhin erwachen – und das ist kein leichter Prozess!

Aber auch wenn es nicht leicht ist, sehen wir Lichtarbeiter doch, dass das Licht des neuen Morgens am Horizont aufzieht. Wir können es spüren und wissen, dass wir immer höher steigen und dass diese Tage der Unsicherheit, die der Hohe Rat vom Sirius als die »einsamen Tage« bezeichnet, Teil des Prozesses sind, den wir nun einmal durchlaufen müssen. Wir müssen das Ungleichgewicht ausgleichen, uns unseren Ängsten stellen und den Planeten heilen, um uns auf das Kommende vorzubereiten.

Es ist ein Segen, dass wir durch den Hohen Rat vom Sirius Beistand von extradimensionalen Wesen erhalten. Diese Wesen verstehen, was wir durchmachen – weil sie den Aufstieg bereits hinter sich haben. Sie widmen sich schon sehr lange der Aufgabe, der Menschheit in diesem Prozess hilfreich zur Seite zu stehen – seit dem »Großen Experiment«, als sie den *Homo sapiens* auf diesen Planeten verpflanzten. Deshalb hatten sie auch zu allen Zeiten eine kosmische Verbindung zu uns und spielen eine dermaßen zentrale Rolle dabei, der Menschheit zu helfen, ihr galaktisches Erbe zu verstehen und den Fluss des extradimensionalen Bewusstseins wahrzunehmen, der an diesem wichtigen Punkt unserer Evolution zu uns durchfließt.

In Form des hier vorliegenden neuen Materials stellen sie uns neue Perspektiven vor, für die wir nun bereit sind – denn unser Verständnis der multidimensionalen Realität hat unser Gewahrsein für uns selbst und den Kosmos erweitert. Und wie immer schonen sie uns nicht, sondern fordern uns auf, auch den Schatten und dunklen Ecken Aufmerksamkeit zu schenken und uns nicht zitternd und ängstlich vor der Energie zurückzuziehen, die sie verbreiten, sondern stattdessen unsere Weisheit und unser Mitgefühl noch heller strahlen zu lassen. Im Angesicht all dieser Energie, all dieser fehlgeleiteten Intentionen, entsteht bei uns Lichtarbeitern der Eindruck, dass unsere Aufgabe unermesslich groß geworden ist – die Aufgabe, Hass in Liebe, Angst in Vertrauen und Leid in Heilung zu verwandeln.

Wir sind mehr als bereit, und mithilfe des Hohen Rats vom Sirius und seiner Arbeiten sind wir auch gewappnet. In einem Meer ständiger und oft beabsichtigter Desinformationen und einem Feldzug mit dem Ziel, den menschlichen Willen zu unterjochen, schimmert ihre Weisheit wie weißer Onyx, und wir, die Seelenkrieger des Herzens, wissen, dass wir auf dem richtigen Weg sind.

Und so möchte ich diesen Augenblick nutzen, um allen Lichtarbeitern dafür zu danken, dass sie hinhören. Dass sie zuhören und nicht vergessen. Ich danke Ihnen dafür, dass Sie hier sind und in dieser Stunde des großen Übergangs auf der Erde leben.

Eines ist gewiss: Solange mein Herz schlägt, werde ich diese Lichtwesen aus der sechsten Dimension repräsentieren – für Sie, für mich, für uns alle. Ich werde weiter meine Meinung äußern, werde sie von den Dächern schreien, wann und wo auch immer ich Menschen begegne, die sie hören wollen. Ich diene dem Licht, ebenso wie Sie.

Seien Sie gesegnet
Patricia Cori

Trydjya, Schriftführerin des Hohen Rats vom Sirius

Neue Botschaften der Sirianer

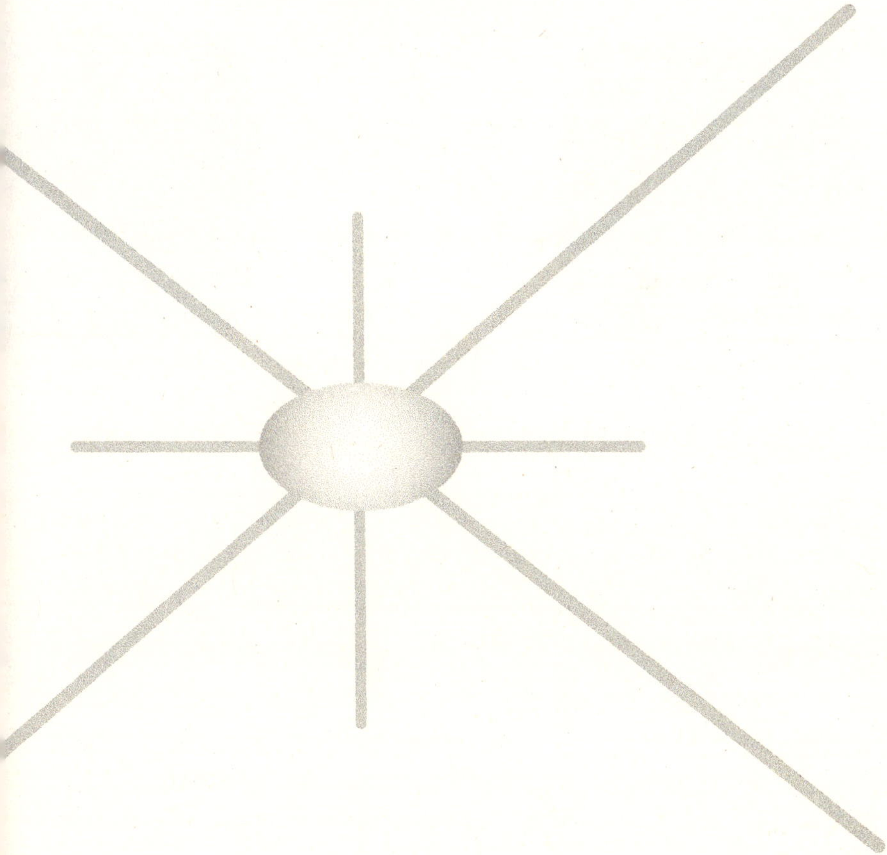

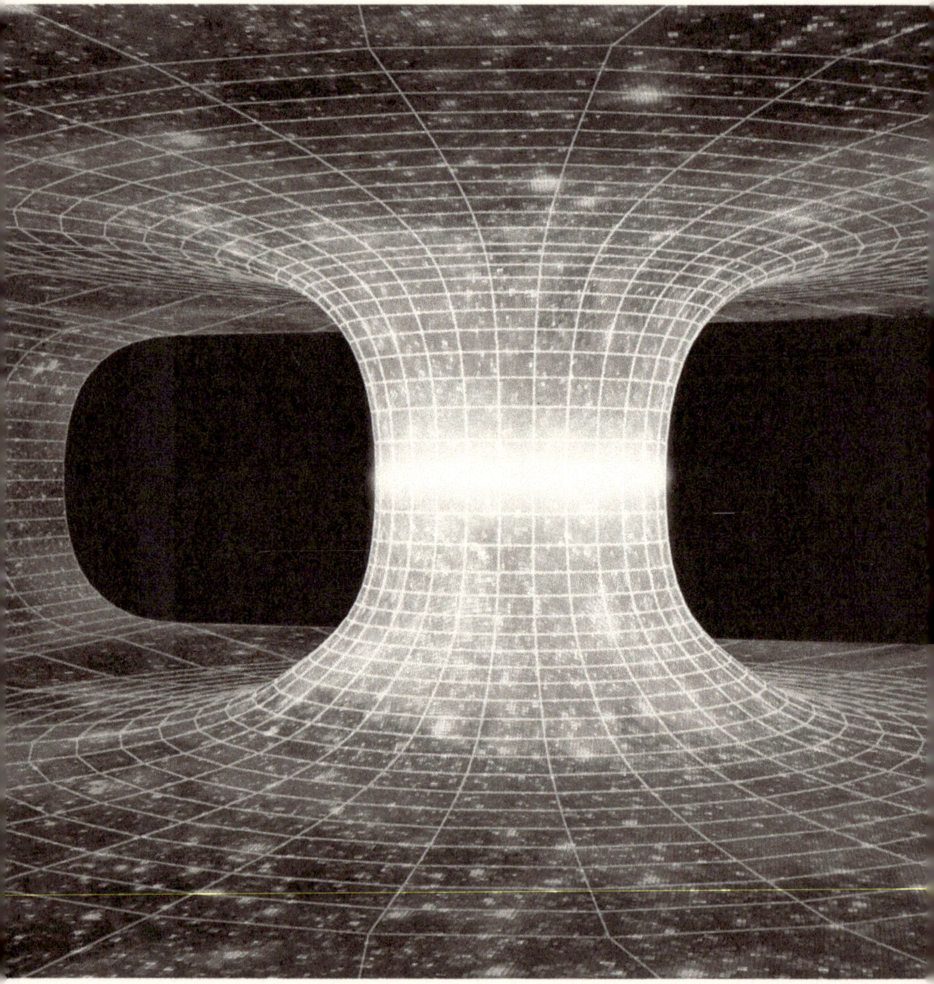

KAPITEL 1

Sternentore, Wurmlöcher und Portale

Der Geist eures expandierenden physischen Universums schiebt sich durch die Vortexe, reist auf Astralebenen, um seine höherdimensionalen Selbste zu erleben sowie die parallelen Universen, die als göttliche Körper der schöpferischen Urkraft koexistieren.

KOSMOS DER SEELE

Eure Quantenphysiker beginnen allmählich zu verstehen, wie Schwarze Löcher wirklich beschaffen sind und dass sie in andere Dimensionen führen, und diese Gelegenheit möchten wir gern nutzen, hier und jetzt ein wenig näher auszuführen, wie gewaltig diese Durchgänge, Tunnel und Röhren sind, die im Angesicht intelligenten Designs und intelligenter Absicht das physische Universum selbst – also den materiellen Raum – durchkreuzen und wie sie expandieren, sich zusammenziehen, geboren werden und wieder vergehen.

Wir können uns wohl darauf einigen, dass Form und Substanz des physischen Raums – das »materielle Universum« –

euch nach wie vor fremd ist. Als physische Bewohner einer dreidimensionalen Welt betrachtet ihr die Materie nach wie vor als solide, dichte Masse – mit Begrenzungen, endlichen Rändern und Individualität. Da ihr diese Wahrnehmung auch auf die galaktischen Reiche jenseits eures Planeten und sogar auf das subatomare Feld übertragt, bereitet euch das »Dazwischen« verständlicherweise Probleme – die gewaltigen Distanzen zwischen Planeten, Sternensystemen, Monden und allen weiteren himmlischen Lebensformen, die in eurem und anderen Raumquadranten zu Hause sind.

Langsam öffnet ihr euch zwar der Möglichkeit, dass das Universum von göttlichem Design sein könnte, aber die Mitarbeiter der verschiedenen Bereiche der Weltraumforschung haben noch immer nicht vollständig akzeptiert, dass der Raum selbst nicht leer ist. Es handelt sich vielmehr um ein vollständig bewusstes, interagierendes Energiefeld, das konstanten Veränderungen durch Intentionen, Gedanken und Bewusstsein aller darin enthaltenen Geschöpfe unterworfen ist. Der Raum ist weder einheitlich noch stabil. Alles befindet sich in einem dauerhaften Zustand der Evolution, Interaktion und Mutation. Jede Himmelsform, jeder Klang, den diese Formen produzieren, und jeder Gedanke, der auf den Wellen des einheitlichen Feldes reitet, beeinflusst Qualität, Dichtegrad und Formation des Raums.

Im vorangegangenen Buch, unseren ersten *Lichtbotschaften vom Sirius*, haben wir bereits erklärt, wie sich genau das auf die subatomare Welt anwenden lässt, die mikrokosmische Repräsentation des größeren Universums, in dem die Atome in Relation ebenso weit voneinander entfernt liegen wie die Sterne, und wie Atome Energie nutzen, um Formen zu erschaffen – und den dazwischenliegenden Raum zu verändern.

Das materielle Universum ist nicht undurchdringlich. Planeten und Sterne sind in Wahrheit nicht durch unüberwindliche

Distanzen getrennt. Und der Weltraum ist auch nicht die gnadenlose Umgebung, als die sie seit langer Zeit gegenüber einem interessierten menschlichen Publikum dargestellt wird. Tatsächlich ist er eine blühende Metropole galaktischer Autobahnen mit Auf- und Abfahrten und Durchgangsstraßen, auf die sich die irdischen physikalischen Gesetze kaum anwenden lassen.

Es ist ein Feld unbändiger Möglichkeiten, in der das, was den Beschränkungen von Raum und Zeit zu unterliegen scheint, in Wahrheit beides dazu bewegen kann, sich zusammenzuziehen, zu expandieren oder zu krümmen – stets entsprechend einem intelligenten Design und einer bewussten Absicht.

Es gibt in den Weiten dieses Raums eine Vielzahl von Wesen, die dazu in der Lage sind! Einige sind friedlich und schöpferisch, andere sind kampflustig und grundsätzlich destruktiv. Aber unabhängig davon, worauf sie ihre Absicht richten – sie sind dazu in der Lage, den Raum zu verändern, damit sie ihn mühelos durchqueren können. Und auch eure eigenen Forscher stehen kurz davor, diese Fähigkeit zu erlangen. Tatsächlich werden die mit der Erkundung des Weltraums betrauten irdischen Militäreinrichtungen in nächster Zukunft die Fähigkeiten erlangen, Portale zu erschaffen und Tunnel und Röhren in der physischen Matrix zu öffnen.

Aber wenn sie keine Demut lernen und keinen friedlichen Austausch wünschen – was für Resonanzschwingungen werden sie dann am anderen Ende der Durchgänge anziehen, und was werden sie selbst auf die andere Seite der Milchstraße bringen?

Wenn ihr verstehen möchtet, wie sich Fortbewegung und Antrieb durch das universelle Gitternetz des Weltraums wirklich manifestieren, müsst ihr zunächst lernen, euer eigenes physisches Reich zu erkunden. Denkt daran, dass das größere Universum – der Makrokosmos – der Beschaffenheit aller Realität entsprechend genau dasselbe ist wie die mikrokosmische Repräsentation aller Schöpfung. Beschleunigt ihr subatomare Elemente und löst damit einen wahren Taumel an energetischer Energie aus, heizt sich die Materie auf und expandiert. Verlangsamt ihr diese Elemente, geschieht das Gegenteil: Sie kühlen ab und ziehen sich zusammen.

Habt ihr diese Fähigkeit bewältigt, wird es euch ebenfalls gelingen, durch den Raum zu reisen.

Ihr müsst lernen, wie ihr den subatomaren Aufbau und das Verhalten von Materie beeinflussen könnt – ein wenig ist das, als würdet ihr den Raum vor eurem Fahrzeug in der Mikrowelle erhitzen, während ihr den dahinterliegenden Raum kühlt, damit er sich zusammenzieht. So kann ein Schiff willentlich vorwärts oder rückwärts befördert werden. Dabei geht es eher darum, den Raum zu verändern, als um das Fahrzeug selbst.

Bewegungen in welche Richtung auch immer können manipuliert werden, indem man Technologien nutzt, die den Raum um das Fahrzeug herum verändern. Wenn ihr also ein Unbekanntes Flugobjekt seht, das am Nachthimmel eine Neunzig-Grad-Wende vollzieht, wisst ihr nun, mit welcher Methode die Navigatoren ihr Fahrzeug fortbewegen. Da bislang noch keine irdische Organisation diese Fähigkeit erlangt hat, könnt ihr im Augenblick mit einiger Sicherheit davon ausgehen, dass Schiffe, die ein solches navigatorisches Können an den Tag legen, keinen irdischen Ursprung haben.

Mit diesem Prozess geht natürlich einher, dass im Rahmen der absichtlichen Expansion des Raums in eine bestimmte Richtung Tunnel oder Röhren entstehen, durch die die Reise erfolgt. Allerdings kommen solche Tunnel oder Ventile im Raum auch als natürlich auftretende Feldphänomene vor.

Alle biologischen Formen weisen in ihrer Konstruktion irgendeine Form von Aufnahme- und Ausscheidungsröhren auf. Auch eure eigene physische Beschaffenheit ist ein Kontinuum von Röhren, Tunneln und Schläuchen: Blutbahn, Lymphbahn und die Aufnahme- und Ausscheidungskanäle für Nahrungsmittel, dazu noch eure neuronalen Datenbahnen. Energie durchläuft die Röhrenkonstrukte eures Körpersystems, um Energie zu bewegen, alle Aspekte eures Seins durch biologische Aufnahme zu nähren und jeglichen überflüssigen Abfall auszuscheiden. So erhält eure bioelektromagnetische Form wichtige Teile von euch am Leben und bei Bewusstsein … und beseitigt Teile, die sich zersetzen oder abgestorben sind und abgestreift werden müssen, damit der gesamte Mechanismus gedeihen und instandgehalten werden kann.

Euer Leben entsteht durch den Samen eures Vaters, durch Sperma, das in die Vaginalröhre eurer Mutter dringt, von wo es zu den Eileitern weitergetragen wird, um die Eizelle zu befruchten. Von dort aus entwickelt sich die befruchtete Eizelle bis zum Augenblick der Geburt. Dann tritt neues Leben den Rückweg durch den Geburtskanal an und wird in die Außenwelt entbunden.

Beim Tod dagegen verlässt der Geist die materielle Hülle des Körpers beziehungsweise ihre Zellform durch den Scheitel, reist via den Astralkanal durch den Äther und weiter zu seinem nächsten Entwicklungsstadium, das sich in einer anderen Dimension, einer anderen Inkarnation (wobei es zwischen verschiedenen Leben in der Regel zu einer Ruhe- und Revitalisierungphase kommt) oder in manchen Fällen auch an einem nebulösen Ort befindet, an dem die Seele zwischen den Dimensionen, Welten, Formen oder Leben gefangen ist. Diese Grauzone hat ebenfalls Tunnelform, und die darin gefangenen Seelen haben Schwierigkeiten, den Ausweg zu finden.

Lavatunnel bilden natürliche Durchgänge und ermöglichen so Vulkanfluss. Tiere graben Tunnel ins Erdreich, manche Seekreaturen nutzen diese auch als schützenden Unterschlupf in den gierigen Tiefen der Ozeane.

Der Mensch hat sich bei der Natur bedient und gelernt, Wasser, Abfälle und Energie durch Rohre und Schläuche zu leiten, die Luft, Erdoberfläche und Untergrund eurer Welt durchziehen. Transportsysteme befördern Menschen unter der Erde von Ort zu Ort, weil sie dort schneller und effizienter vorankommen. Röhren durchziehen die Erdoberfläche, weil die Ingenieure eures Militärs, eurer Unternehmen und Politiker Tunnel von Küste zu Küste gebohrt haben, um Personen, Nahrungsmittel, Luft und natürlich Waffen zu transportieren.

Ist es da so viel schwieriger, sich ein Universum vorzustellen, das durch Tunnel, Röhren und Durchgänge passiert werden kann, die eine bewusste Schöpfung des Lebens selbst sind? Die von Wesen erschaffen und benötigt werden, die die Beschaffenheit der multidimensionalen Realität so weit im Griff haben, dass sie intergalaktische Autobahnen konstruieren konnten – Abkürzungen durch den Weltraum? Überlegt doch nur einmal, wie viel effizienter Personen in U-Bahnen transportiert werden können, da diese die Hindernisse, das Geröll und Chaos auf den oberirdischen Straßen einfach umgehen.

Röhren oder Tunnel im Weltraum sind mehr als einfach nur willkürlich vorhandene Energievortexe oder Sternenportale, obwohl auch diese im All natürlich vorkommen. Sie dienen vielmehr als Konstrukte, die von intelligenten Arten sorgfältig entwickelt wurden, um sich mit einer Geschwindigkeit, Leichtigkeit und Bequemlichkeit von Planet zu Planet, von Sternensystem zu Sternensystem bewegen zu können, die für die Menschheit mit ihrem aktuellen Bild von »Raumfahrt« kaum vorstellbar ist. Einige dieser Autobahnen sind relativ dauerhaft, andere nur kurzfristige Durchgänge, die von besonders kenntnisreichen Astronauten und Raumfahrtingenieuren genutzt werden.

Wärt ihr Miniaturreisende, die versuchen, einen Laib Schweizerkäse zu durchqueren – würdet ihr dann die Mühsal auf euch nehmen, euch durch die dichte Matrix zu graben, oder würdet ihr nicht einfach von einem Loch zum nächsten schlüpfen, bis ihr den Ausgang erreicht habt? Oder wenn ihr in Rekordzeit von einem Ende einer Stadt zum anderen gelangen müsstet – würdet ihr euch in den dichten Verkehr begeben, obwohl ihr wüsstet, dass ihr dort auf alle möglichen Hindernisse stoßen werdet? Energetisch ist es am ökonomischsten, den kürzesten Weg von einem Punkt zum anderen zu nehmen. Das ist das einfache und dennoch häufig übersehene Paradigma, das hinter der Konstruktion solcher Tunnel steht – in allen Feldern, Reichen und Universen.

Wie eure Regierungen die Raumfahrt in der Öffentlichkeit derzeit noch darstellt und dass sie Besuche von Außerirdischen leugnet, gründet in ihrem begrenzten Verständnis für den unendlichen Raum und die Dimensionen. Es ist ein Verständnis, das die Distanzen zwischen den Welten nach wie vor als unüberwindlich begreift, zumindest was intergalaktische Kontaktaufnahme betrifft. Man zeigt euch veraltete Raumschiffmodelle, die einen gewaltigen Antrieb benötigen, um der Erdanziehungskraft zu entkommen, und nur relativ kurze Distanzen zurücklegen können, ehe sie nach Hause zurückkehren.

Die Wahrheit lautet, dass eure Weltraummannschaften schon jetzt weit jenseits solcher nutzlosen Übungen agieren. Bereits vor eurem Zweiten Weltkrieg konnten sie zeitreisen, und mit den Technologien, die sie aus der »Zukunft« mitgebracht haben, bringen sie die Menschheit technologisch voran bis zu dem Punkt, auf den sie hinarbeiten, wobei sie glauben, gesehen zu haben, dass die Erde eine robotergesteuerte, unbelebte Rohstoffgewinnungsstation im Weltraum wird.

Es ist von großer Wichtigkeit, dass ihr den nächsten Satz mit höchster Aufmerksamkeit und klarem Fokus lest. *Eines begrei-*

fen diese Zeitreisenden des Militärs nicht: dass sie nämlich in Wahrheit nicht in die Zukunft gereist sind und das, was sie gesehen haben, entgegen ihrem Glauben nicht die Zukunft der Erde war. Stattdessen sind sie zu einer Simultanerde gereist, auf der dieses Szenario bereits eingetroffen ist – ein Ereignis, das Bezug zu ihrem Glaubenssystem und ihrer Programmierung hat. Wenn ihr bereit seid, eure Fantasie etwas anzustrengen, werdet ihr begreifen, dass es sie so sehr nach einem derartigen Ausgang der Geschichte dürstet, dass sie selbst dabei geholfen haben, eine Parallel- oder Spiegelwelt zu eurer zu erschaffen, in der sich dieser Ausgang ereignet hat.

Wir können euch mit absoluter Sicherheit sagen, dass in keinem Seinszustand und keiner Dimension ein Röhrenkonstrukt existiert, das nicht erklärtermaßen als Matrix dient, durch die Energie von einem Raum oder einem bestimmten Dichtegrad zum anderen fließt.

Antworten auf die Frage, wohin ein Wurmloch oder Tunnel im Weltraum führt und was am anderen Ende wartet, liegen in der Intention des Forschers, Handlungsreisenden oder Eindringlings.

Es gibt unendlich viele Möglichkeiten von Paralleluniversen und anderen Dimensionen. Sicher könnt ihr euch vorstellen, wie groß die Bandbreite an Unterschieden zwischen ihnen ist. Und wenn ihr euch vorstellen könnt, wie eure eigene Welt und eure Position darin in anderen Universen widergespiegelt werden, dann seid ihr auf dem besten Weg, auch darüber nachzudenken, wie *ihr* in diesen anderen Universen aussehen und funktionieren würdet. Und ihr würdet bemerken, dass in einigen dieser Reflektionen eurer bewussten Existenz die verschiedensten möglichen Realitäten eintreten, wie eine Art unendliche Reality-Show mit unendlich vielen Staffeln.

Die Gesetze der Physik, wie ihr sie kennt, treffen womöglich nicht zu, zumindest nicht vollständig … und vielleicht ja auch gar nicht. Deshalb muss man die konventionelle wissenschaftliche Sichtweise auf Schwarze Löcher und ihre zerstörerische Schwerkraftwirkung zumindest als einseitig betrachten.

Das stellt die Wissenschaftler, die sich mit Passagen, Toren und Astralkanälen durch den Raum befassen, vor ein ziemliches Rätsel. Vielleicht kennen sie die Kräfte, die auf ihrer Seite des Wurmlochs wirken (oder glauben zumindest, sie zu kennen), aber sie verstehen nicht, wohin das Loch führt, wie es funktioniert und wie es sich am anderen Ende darstellt.

Führt es in ein Universum, in dem die Schwerkraft nicht existiert?

Drängt es Energie oder Materie wie die eines planetaren Wesens in einen neuen Bereich, in dem die Struktur dann als Lichtkörper oder mit einem geringeren Dichtegrad weiterexistiert?

Ist es vielleicht möglich, dass sich die Röhre oder der Tunnel wie ein Autobahnkreuz oder eine kosmische Weggabelung in mehrere Nebenröhren unterteilt, so dass alles, was in diesen Durchgang hineingezogen wurde oder ihn willentlich nutzt, selbst entscheiden kann, welchen Ausdruck oder Dichtegrad es als Nächstes annehmen möchte?

Wir laden euch ein, ein wenig über diese Autobahnen nachzudenken, die sich durch Raum und Zeit erstrecken und in verschiedenen Realitätserfahrungen münden. Am leichtesten könnt ihr euch vermutlich ein Reich – sagen wir, ein Paralleluniversum – vorstellen, in dem die Existenzgesetze denen eurer Welt ziemlich ähnlich sind. Und nun wagt einen Gedankensprung und stellt euch einmal ein anderes Universum vor, in dem es nicht so ist und nur wenige oder sogar überhaupt keines eurer Gesetze (oder eurer Interpretation der Gesetze) wirksam sind – ein Universum, das sich den Gesetzen der Raumzeit, der Schwerkraft, eurer eigenen Beschaffenheit auf subatomarer Ebene entzieht.

Und jetzt – das ist der eigentliche Punkt, um den es uns geht – stellt euch multiple Universen vor, in denen die verschiedensten Aspekte eines bestimmten Universums reflektiert werden und zahllose andere Ausformungen der Existenz vorhanden sind. Wir sprechen hier von allen Realitäten, die innerhalb, zwischen und jenseits von anderen Realitäten existieren können, die auch wir erst noch entdecken müssen ... Realitäten, die bewussten Wesen vielleicht noch nicht bekannt sein sollen, aus Gründen, die mit den geheimnisvollen Fundamenten des Multiversums zusammenhängen.*

Natürlich wollen wir wissen, was das alles zu bedeuten hat.

Wir sind uns absolut darüber im Klaren, dass wir immer dann am Effektivsten sind, wenn wir uns über unsere Beschränkungen hinaus bewegen, ohne unsere Weisheit mit wilden Fantasien über bislang unbekannte Kräfte zu korrumpieren, die in dem wirken, was wir »das mathematische Hyperversum der schöpferischen Urkraft« nennen. Das ist der

* Über den Aufbau der multiplen Universen, ihre Anordnung und ihr Ineinanderwirken, berichtet Alfred Lambremont Webre in seinem Werk *Das Omniversum* (2017). Er zeigt darin auch, wie unsere Seelen als holografische Fragmente der Einheit entstehen, und weist nach, wie außerirdische Zivilisationen im Weltraum und zwischen den Dimensionen reisen. Außerdem berichtet er über die geheime Marskolonie der NASA. Webre ist der Begründer der Exopolitik, die sich mit den Beziehungen zwischen intelligenten Zivilisationen im Multiversum befasst. Leseproben auf www.AmraVerlag.de.

Ort, an dem alles existieren und verändert werden kann, wo alles präsent sein kann außer Vergangenheit und Zukunft und wo Materie und Antimaterie, Licht und Dunkel interagieren und Gelegenheitsfelder erschaffen, in denen wir alle wachsen können. Unter all diesen Wahrscheinlichkeitsebenen ergibt nur eine einzige universellen Sinn – und zwar die, dass alles bewusst, ewig und einigen bislang unbekannten Gesetzen unterworfen ist, die uns vielleicht niemals enthüllt werden, ganz gleich, wie weit wir die Spirale emporsteigen, ganz gleich, wie weit wir den Weltraum, die Realität und die Dimensionen auch erkunden.

Was das multidimensionale Universum betrifft, bestehen diese Kanäle aus einer anderen Materie. Die Elite und ihre Krieger wissen von Wurmlöchern in andere Universen, aber sie begreifen nicht, wie Astralkanäle funktionieren und wie der Geist aufsteigen kann, da sie ihren eigenen Geist auf ihrem Weg in einen immerwährenden Kriegszustand verloren haben.

Diese Kanäle sind keine Konstrukte im Weltall – sie sind vielmehr eine Schöpfung der Seele, und nur der Geist, der nach Höherem strebt, ist dafür bereit. Beispielsweise ist das bei eurer Sonne der Fall.

Ihr, die ihr von unserer Schwingung angezogen werdet, wisst, dass ihr durch Astralkanäle mit höheren Reichen verbunden seid, die durch euren Scheitel in den Himmel hinaufreichen. Es gibt auch Energiewege, die durch eure Fußsohlen verlaufen und in die planetaren Biofelder hinabreichen – um die Liebe Gaias in euer Sein zu ziehen und euch in der Magnetkraft und der mineralischen Stärkung, die von der Erde ausgehen, zu verankern. Sie dienen dazu, ein universelles Bewusstsein in eure Zellen, eure subatomaren Felder und euren Verstand zu ziehen … aber sie helfen euch auch dabei, es nach außen abzustrahlen, wo ihr eure erleuchtete Seele mit dem größeren Licht des übergeordneten Wohls teilt.

Eben solche Kanäle verlaufen auch durch den Sonnenscheitel und weiter in höhere Reiche. Es sind keine Navigationswege für Weltraumreisende – es sind Schwingungskanäle, durch die Materie hindurchtritt, um in einen Zustand von »geringerer Dichte« zu wechseln, den wir zuvor bereits als Manifestation eines aufsteigenden Geistes beschrieben haben.

Sie könnten in weitaus kompliziertere Realitäten führen als die, in der ihr euch gegenwärtig befindet, könnten sich genauso aber in Felder der Harmonie, der friedlichen Koexistenz und des unendlichen Lichts öffnen. Vergesst nicht, dass ihr die Erde immer mit euch nehmt.

Ihr, die ihr in Gaias Umarmung gediehen seid – nehmt eure irdische Erfahrung und alle Erinnerungen mit euch.

Ganz gleich, ob eure Reise strapaziös oder friedlich verlaufen ist – es bleibt die Frage: Was nehmt ihr durch den Astralkanal eurer Sonne mit euch, um es ins Licht eurer nächsten Erfahrung emporzuheben?

KAPITEL 2

Magie, Mutation und Lied eures Sterns

Stellt euch vor … so wie ein glühend leuchtendes Schillern als Strahlung aus eurer Sonnengottheit explodiert und langsam abkühlt, um als Himmelskörper in eurem Sonnensystem Form anzunehmen, so entsteht auch alles Bewusstsein aus dem Licht, und bei seinem Absinken in die physische Realität nimmt es die »Kruste«, die Außenhülle eines physischen Körpers an.

KOSMOS DER SEELE

Es ist unser Ziel, euch in dieser Mitteilung einen Einblick in die Transmutation eurer Sonne aus der Perspektive unserer sechsdimensionalen Beobachtungsstationen zu gewähren, die jenseits des materiellen Universums liegen. Wir stellen fest, dass sich das Flackern der vierdimensionalen Realität am Raumzeitkontinuum zu reiben scheint und euch bei der einen Überschneidung verlangsamt, an der nächsten dagegen beschleunigt.

Wir beobachten, wie Teile der Sonne in die vierte Dimension hinein- und wieder hinausgleiten, zurück in ihren elektro-

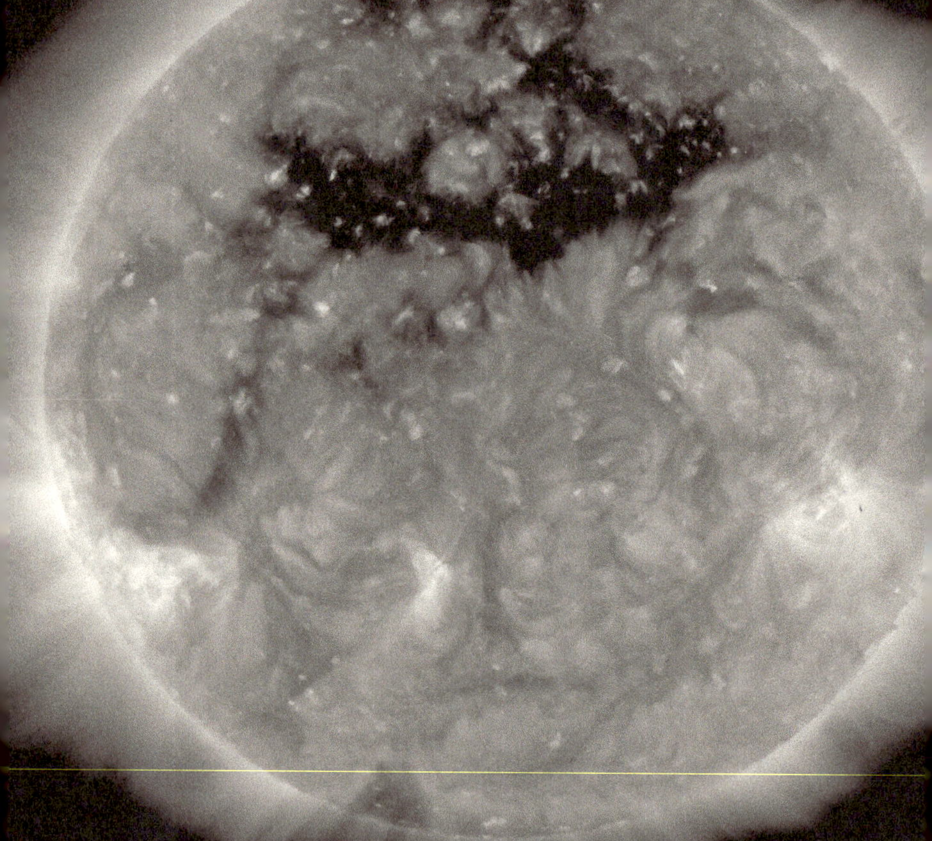

magnetischen Plasmakörper – und wir sprechen hier nicht von Sonnenwinden, Sonnenexplosionen oder Sonnenstrahlungen. Wir sprechen von gewaltigen Plasmamassen, die einfach aus der körperlichen Form eures Sterns verschwinden.

Wollt ihr wissen, wie dieser Übergang aussieht? Die Bilder stehen euch in Form von fotografischen Aufzeichnungen zur Verfügung, deren relative Glaubwürdigkeit wir euch versichern und die euch Bilder zeigen, auf denen der Sonne plötzlich gewaltige Bereiche fehlen, die am nächsten Tag einfach wieder da sind.

Auch ihr selbst erlebt ja Augenblicke, in denen ihr aus der Dreidimensionalität hinaus- und in einen vierdimensionalen Referenzrahmen hineingleitet, in dem ihr Zeitlosigkeit und telepathische Gedankenverbindungen erlebt. Verwirrt und verunsichert landet ihr dann wieder in dem dreidimensionalen Theater eurer vertrauten Realität, die nicht weniger eine Illusion ist als das, was ihr während eurer kurzen Begegnungen mit der vierten Dimension erlebt! Und so klammert ihr euch fest an Zeit und Raum – den Kennzeichen, die euch ein Sicherheitsgefühl schenken – und fragt euch bestürzt, was euch da wohl gerade widerfahren sein mag und sorgt euch, dass euer Verstand womöglich nicht mehr ganz zuverlässig arbeitet.

Einiger dieser Augenblicke seid ihr euch absolut bewusst, anderer nicht, denn manchmal halten sie nur Nanosekunden lang an. Da ist es nur natürlich, dass ihr euch fragt: »Was ist gerade passiert? Bilde ich mir das alles nur ein?«

Diese immer häufiger auftretenden Ereignisse der multidimensionalen Art lehren euch über die bewussten und unbewussten Schichten eures Intellekts, eures Wissens und eurer Erfahrung, welche feinstofflichen Energien derzeit sprunghaft ansteigen und welche gleichzeitig nachlassen und verschwinden und wie all diese Veränderungen und Energieverschiebungen euch durch die größte Astralreise all eurer Lebzeiten – den stellaren Aufstieg – hindurchtragen.

Wenn ihr sehen könntet, was wir sehen – nämlich das Universum als winzigen Bruchteil all dessen, was für den teleskopisch-telepathischen Beobachter sichtbar ist –, dann wärt ihr zutiefst beeindruckt von der Beschleunigung all der Welten, die gerade eine Evolution durchleben, und der Schönheit all dessen, das sich innerhalb eures solaren Bereichs manifestiert.

Nun, wo ihr beispielsweise mehr über die Wirkung wisst, die Bewusstsein auf Wasser hat, und darüber, wie jedes Molekül die Seelenintention reflektiert, um sich zu einem heiligen Design zu verbinden – könnt ihr euch da auch vorstellen, wie all das auf der Ebene des gesamten Sonnensystems in Bezug auf Farbe, Rhythmus und geometrische Kunstfertigkeit aussehen würde? Jeder Planet hat seine Schwingungssignatur, seinen eigenen musikalischen Akkord und seinen essenziellen Unterbau, die das Bewusstsein der Wesen widerspiegeln, die dort leben. Keine Worte könnten es beschreiben ... denn wie sollte man die schöpferische Urkraft beschreiben?

Wie könnten bloße Worte die unendliche Palette göttlichen Designs vermitteln?

Überall in der Natur könnt ihr die Bandbreite dieser Schöpfungen entdecken – überall dort jedenfalls, wo sie nicht künstlich durch Menschenhand umgestaltet wurde. Wenn ihr könnt, dann versucht einmal, euch vorzustellen, wie das aus galaktischer Sicht aussehen mag, und besonders meinen wir damit die Verkörperung eurer Sonnenfamilie: Sonne, Planeten, Monde, Eisschilde, Asteroiden und der Staub vorüberziehender Seelen und Atome.

Wenn wir euch nur ein Beobachtungsfenster öffnen könnten, das den Raum auf eine ausreichend überschaubare Größe schrumpft, hätten wir die Möglichkeit, euch zu zeigen, wie sich Veränderungen in anderen Welten als eurer manifestieren: an Orten, an denen eingefrorene Ozeane aus festem Eis wieder fließen, in Welten, in denen die Stürme, die über die Landschaften hinwegfegten, heute einer sanften Brise gewichen sind, in wieder anderen Welten, in denen kalte Dunkelheit nun angefüllt ist mit der Wärme lebensförderlichen, herrlichen Lichts.

Wir können euch unsere Perspektive erklären, aber unsere »Augen« können wir euch nicht schenken. Und selbst wenn wir es könnten, wozu sollte es gut sein?

Eure Träume von dem, was kommen wird … eure Hoffnung, gestützt durch klare Intentionen – das sind die Zauberstäbe eurer individuellen magischen Reise. Nichts kann die persönliche Erfahrung ersetzen, nichts könnte schöner und außergewöhnlicher sein als eure eigenen göttlichen Visionen und deren Schöpfungen.

So wie die Dinge auf der Erde gerade laufen, spürt ihr sicher selbst, dass ihr sozusagen schwankend auf dem Gipfel der Katastrophe steht und der Achterbahnwagen, der euch dorthin gebracht hat, kurz davor ist, in die Tiefe zu rasen, unaufhaltsam, immer weiter voran. Ob ihr diesen Übergang nun aufgeregt und voller Vorfreude auf den kommenden Nervenkitzel verfolgt oder euch panisch zusammenkauert und euch weigert, vorauszuschauen – denkt daran: Ihr habt euch auf Seelenebene zu diesem Erlebnis bereit erklärt – bewusst und ohne Wenn und Aber. Ihr habt einen Blick auf das gewaltige Ausmaß des Ganzen werfen dürfen, das mächtig, elektrifizierend über dem Horizont eures potenziellen physischen Lebens dräute – eures aktuellen Lebens (oder, um es genauer zu sagen, eines der vielen Leben, die ihr im Augenblick simultan führt) –, und ihr habt die durch und durch bewusste Entscheidung getroffen, in die Achterbahn einzusteigen und zu erleben, wie sich die Fahrt anfühlt und wo sie euch hinbringt.

Und wohin hat sie euch gebracht? Zu einem der außergewöhnlichsten Ereignisse, die im materiellen Universum jemals stattfinden werden: dem Aufstieg eines Sterns … eurer Sonne.

Ihr wusstet es, ihr habt euch freiwillig gemeldet, und hier seid ihr nun.

Wir, die wir wissen, dass sich das Universum in ständiger Bewegung befindet und dass sich alle Existenz in verschiedenen Stadien der Geburt, des Wachstums, des Todes, der Wiedergeburt und der Weiterentwicklung befindet, finden es besonders aufregend, zu beobachten, wie sich euer zentraler Stern Ra an diesem Punkt in der Raumzeit beschleunigt. Die Beschleunigung eures gesamten Sonnensystems verursacht eine Schwingungsverschiebung hin zu einem Tempo, das deutlich schneller ist als die gesamte Umgebung der Sonnenumhüllung.

Das ist ziemlich faszinierend. Ihr seid in ein stark aufgeladenes Gebiet eurer Galaxis eingetreten, aber dieses Gebiet kann nicht mit eurer Sonne schritthalten. Überdenkt das für ein Weilchen.

Könnt ihr euch überhaupt vorstellen, in was für einem gewaltigen Ausmaß die Sonne ihr Tempo erhöht hat? Denkt auch daran, dass alle Planetenwesen innerhalb der Sonnenfamilie diesen Energien unterworfen sind und sie widerspiegeln … dann bekommt ihr eine Ahnung davon, was für einen »K.o.-Effekt« diese Energien in der gesamten planetaren Weite für alles Leben in allen Phasen und in jeder erdenklichen und unerdenklichen Form haben. Was wir und andere Zuschauer aus dem Multiversum hier miterleben, ist eine himmlische Extravaganz, und zwar eine ziemlich spektakuläre.

So intensiv ist diese gewaltige galaktische Verschiebung um und in eurer Sonne, dass uns für dieses gesamte Gebiet und seine Geschwindigkeitszunahme nur der Begriff »völlig außer Kontrolle geraten« einfällt. Und »außer Kontrolle« ist auch das, was ihr, die Erwachenden, gerne sein möchtet, zusammen mit eurem Planeten und der gesamten Zivilisation. Aber um endgültig frei zu werden von den Kontrollen, die eurer Zivilisation auferlegt werden, müsst ihr ironischerweise zunächst miterleben, wie die Weltgesellschaft scheinbar durchdreht und in einen Zustand des manipulierten, nahezu manischen Chaos verfällt.

Auch wenn es so scheint, als herrschten in eurem direkten Sichtfeld nur Disharmonie und Anarchie oder als drohte euch am Ende neuer, unbekannter Wege ein solcher Zustand zumindest, vergesst nie, dass diese Veränderungen euer Antrieb sind. Sie sind der Auslöser, der den schwierigen Prozess der Befreiung anstößt. Und ihr durchbrecht dadurch eure Angst vor den Tyrannen und Dieben, die die soziale Evolution der Menschheit so viele Jahrtausende lang beherrscht haben und dem Kollektivbewusstsein aller Menschen und der Erde selbst ihren fehlgeleiteten Willen aufgezwungen haben.

Nun brennt ihr darauf, voranzukommen, und drängt euch durch die finalen Phasen eures verzweifelten Kampfes gegen den hartnäckigen Griff dieser Kontrollinstanzen, um wahre Freiheit des Geistes, des Körpers und der Seele zu erlangen. Und ihr seid auf dem besten Weg, dieses Ziel auch zu erreichen – denn wie wir euch schon vor langer Zeit gesagt haben, wird deren Griff schwächer und damit auch deren Macht über euch.

Eure Sonne ist der Motor, der die Erde durch diese schwierigen Zeiten trägt, in denen eure Welt kopfzustehen scheint, das Gute schlecht zu sein scheint und Recht Unrecht, in der Dunkelheit sich als Licht ausgibt, indem es den Mantel des Geheimnisvollen über sich ausbreitet. Denkt daran, jedes Mal, wenn ihr voller Verzweiflung der Zukunft eures Planeten entgegenblickt.

Die Erde ist nur ein Waggon des kosmischen Zugs, und nichts kann die Wucht dieses galaktischen Konvois aufhalten. Ihr seid darauf programmiert worden, euch für verloren im All zu halten, aber das seid ihr nicht. Ihr sitzt auf dem Beifahrersitz des Großen Interstellaren Expresszugs und verlasst gerade den New Yorker Hauptbahnhof.

Dennoch habt ihr das Gefühl, einsame Tage auf der Erde zu verleben, in denen sich alles in einem Zustand revolutionären Aufruhrs befindet, weil ihr vom Standpunkt eurer Zivilisation aus durch die Umkehrung von alldem, was euch festen Boden unter den Füßen bot, in Schieflage geratet, genauso wie die Achse eures Planeten. Aber ihr kommt dem Ende dieser Phase näher, und das spürt ihr auch – weil ihr wisst, dass die Tonlage der menschlichen Disharmonie absolut unhaltbar ist.

Sie muss sich auflösen. Und das wird sie.

Ihr wollt verzweifelt wissen, wann ... und sehnt euch nach der Versicherung, dass ihr bald zugänglicheres Gelände erreichen werdet. Wir hören euer Flehen um Hilfe aus anderen Sphären, hören eure Fragen und Bitten. Ihr wünscht euch ganz spezifische Antworten und präzise Zeitangaben über Ereignisse, die von galaktischem Ausmaß sind und so wesentlich für eure persönliche Seelenerfahrung und den freien Willen eurer Sonne, dass sie sich jeglicher Erklärung entziehen.

Was ihr wollt, ist eine Zeitangabe für die Nicht-Zeit.

Das ist ein Widerspruch in sich ... einer, den wir nicht für euch lösen können.

Eure Sonne Ra bestimmt den Zeitpunkt. Sie ist der Hauptakteur eurer Evolution. Sie bestimmt, wann sie bereit ist, und stellt das Metronom für alles Weitere ein. Wir können die Schwingungsverschiebungen lesen, die Formveränderungen und die Wellen, die sie im Raumzeitkontinuum auslösen, aber wir können euch nicht genau sagen, wann eure Sonne den gewaltigen Sprung aus diesen illusorischen Gegenden in die vierte Dimension antreten wird.

Und dann gibt es da auch noch ein übergeordnetes philosophisches und moralisches Problem, das wir nicht ignorieren können. Was würde passieren, wenn ihr Datum und Zeit (beides Illusionen der dritten Dimension) eures vollständigen Übergangs in die vierte Dimension kennen würdet, in der es gar keine Zeit gibt? Wie würde dieses Wissen euer aktuelles Leben beeinflussen, vor allem den freien Willen, der hinter all euren Entdeckungen steht und euch vorantreibt? Würdet ihr euch der Unausweichlichkeit dieses Übergangs unterwerfen und einfach nicht mehr für die Erde einstehen und für all die guten Taten, die ihr leistet, um die Tonhöhe der menschlichen Erfahrung anzuheben? Würdet ihr vielleicht aufhören, euren Gemeinschaften als Lichtarbeiter zu dienen?

Begreift ihr, wie diese Information – eine prophetische Zeitangabe, die euren aktuellen Kurs verändern könnte –, euch in verschiedenerlei Hinsicht blockieren könnte? In Hinsichten, die weder eurem eigenen Besten noch dem Allgemeinwohl dienen? Das ist das absolut Letzte, was wir uns für euch wünschen, und wenn ihr einmal genauer darüber nachdenkt, ist es wohl auch nicht das, was ihr euch für euch selbst wünscht.

Eure guten Taten, eure höheren Gedanken und die Liebe, die mit der konkreten Absicht in Gaias Ethos fließen, die Disharmonie zu heilen, die dort im Überfluss vorhanden ist, sind alle Teil des Prozesses, für den ihr in dieses Leben gekommen seid, um einen Beitrag zu leisten und es auf immer zu eurem zu machen.

Lichtarbeiter, Spirit-Krieger, Kinder der Sternensaat – hört den Aufruf. Eure Wachsamkeit und eure Entschlossenheit, den Planeten in eure Liebe zu tauchen, sind die Schlüssel zum Königreich.

Wir glauben, dass das Wunder im Unbekannten liegt und dass eine Reise nötig ist, damit ihr zu dem illusorischen Ziel gelangt, das man sich als »dort« vorstellt, das aber weitaus außergewöhnlicher ist als alles, was auch nur im Entferntesten an ein »Dort-Sein« erinnert. Seid ihr einer Meinung mit uns, dass diese Suche in eurem Inneren stattfindet – in uns allen … und dass alle bewussten Wesen Funken des göttlichen Bewusstseins, Utopien in ihren Seelen tragen?

Wenn ihr begreifen und anerkennen könnt, dass das Ziel in uns allen ist, dann seid ihr sicher auch bereit, euer Kontrollbedürfnis über Erfahrungen, Zeit, Emotionen loszulassen – und euch einfach auf die Erfahrung einzulassen, sie zu feiern und jedem Lebewesen in eurer Umgebung Aufmerksamkeit zu schenken.

»Okay«, hören wir euch antworten. »Das ist ja alles gut und schön. Aber wann kommt denn nun endlich der Aufstieg? Wann?«

Kinder Gaias, was wir euch mit absoluter Sicherheit sagen können, ist, dass Ras aktuelle Mutationen in Form und Manifestation beispiellos sind, und zwar so sehr, dass der Stern zunehmend nicht mehr wiederzuerkennen ist. Auf jeden Fall legt er vollkommen neue Verhaltensweisen an den Tag – fragt nur einen beliebigen unabhängigen Astrophysiker! Diese schwankenden und wissenschaftlich unerklärlichen Sonnenmutationen haben nichts mit der zyklisch verlaufenden Historie des Sterns und all ihren Höhen und Tiefen zu tun, die die Sonnenenergien im einen Moment still vor sich hinbrüten lassen, nur damit sie im nächsten tosend explodieren – Energien aus ihren Feuersäulen, die gegen die Schilde sämtlicher Planeten und Monde prallen, die ihnen in die Quere kommen.

Nein, was ihr im Augenblick im gasförmigen Plasma eures Zentralsterns miterlebt, hat nichts mit Zyklen in der Sonnenaktivität zu tun und kann auch nicht in solchen Begrifflichkeiten kategorisiert oder erklärt werden. Was im Augenblick geschieht, ist fraglos die anhaltende und fortschreitende Transmutation der Sonne von einer dimensionalen Schwingung zur nächsten: die Umformung, Erneuerung und Verbesserung ihrer Schwingungssignatur als physische Masse zu der einer feinstofflicheren Ausdruckform.

Wenn ihr einmal ernsthaft darüber nachdenkt und die Bilder betrachtet, die euch von Raumfahrtbehörden und unabhängigen Astronomen zur Verfügung gestellt werden, ergibt das vollkommen Sinn. Tatsächlich möchten wir sogar in aller Bescheidenheit anmerken, dass es die einzige sinnvolle Erklärung ist.

Wie bei einem gewaltigen himmlischen Zaubertrick verschwinden große Bereiche der Sonne scheinbar immer wieder vollständig, als würde das Zentrum eures Universums zusammenbrechen, an den Nähten platzen. Tatsächlich verhält es sich aber so, dass Teile eures Sterns schneller an Geschwindigkeit zulegen als andere, was natürlich nachvollziehbar ist – denn in der Welt aus Form und Materie ist diese sengende Masse nicht eindimensional, nicht von gleichmäßiger Konsistenz. Vielmehr ist sie ein enormes Spektrum, das unterschiedliche Leuchtkraft, Temperatur und Dichte sowie die verschiedensten Maße aufweist. Aufgrund dieser Diversität schwingen einige Bereiche des Sonnenfelds viel schneller, und die riesigen Plasmamengen treten dann in Resonanz mit dem vierten Dichtegrad und gleiten zeitweise in die andere Dimension hinüber. Da aber die Sonnenmasse als Ganzes noch immer nicht in der Lage ist, dauerhaft mit dem feinstofflicheren Dichtegrad der vierten Dimension mitzuschwingen, ziehen sich diese gasförmigen Zungen aus Sonnenenergie immer wieder in die Plasmamasse zurück, die nach wie vor physische Form aufweist.

So wird es immer weitergehen, bis die Sonne auf ganzer Bandbreite und jeder Ebene mit der vierten Dimension mitschwingt. An diesem Punkt wird der Stern durch seinen Astralkanal aufsteigen und voranschreiten.

Wir wollen euch nochmals daran erinnern, dass ausgewählte Bilder dieses Sonnenphänomens in Form fotografischer Aufzeichnungen verfügbar sind, da es für eure Regierung selbstverständlich von großem Interesse ist. Wir empfehlen euch, diese Aufnahmen mit mehr als nur oberflächlichem Interesse zu betrachten, denn auch dann, wenn ihr das gewaltige Ausmaß des Sonnenaufstiegs und seine Bedeutung für euer aller Leben bereits begreifen könnt, ist es immer noch faszinierend, zu *sehen,* wie er sich vollzieht, aufgezeichnet für eure visuellen Interpretationen. Stellt ihr dagegen nach wie vor infrage, dass eure Sonne mit ihrem Aufstieg begonnen hat, oder könnt ihr euch einfach nicht vorstellen, wie sich dieser Aufstieg manifestieren soll, dann könnt ihr euch auf diesem Weg selbst davon überzeugen.

Das Verschwinden und Wiederauftauchen von Bereichen eurer Sonnenoberfläche kann schlicht und ergreifend mit keiner eurer bekannten wissenschaftlichen Terminologien beschrieben werden. Wenn überhaupt, dann widerlegt es die vorhandenen Annahmen über Masse, Emissionen und elektromagnetische Kraftfelder der Sonne. Das Phänomen passt einfach nicht zu euren aktuellen Thesen über Struktur und Verhalten des Sterns.

Es passt nicht in die dritte Dimension.

Keine der vorhandenen Daten zu den magnetischen Verschiebungen der Sonne, ihrer radioaktiven Dynamik oder andere wissenschaftliche Messungen können erklären, was sich in der Sonne oder irgendeinem ihrer Planeten abspielt. Und so befinden sich eure konventionellen Wissenschaftler in einem Zustand völliger Verwirrung. Sie begreifen nicht, was es mit dem Geist auf sich hat. Sie verstehen nichts vom Aufstieg der Seele gleich welchen Wesens, egal ob winzig klein oder unermesslich groß.

Was die Skeptiker betrifft (und zweifellos begegnet ihr in euren Leben vielen von ihnen): Fragt sie, wie sie wegerklären wollen, dass dreißig Prozent der Sonnenmasse im einen Augenblick verschwinden und im nächsten wiedererscheinen. Wie ist es möglich, dass ihr durch Löcher sehen könnt, die sich im gewaltigen Körper der Sonne gebildet haben? Fragt sie nur –

haben sie die Bilder überhaupt gesehen? Lasst sie all das nur wegerklären, die konventionellen Denker …

Von unseren Beobachtungsstationen auf der physischen Ebene aus können wir beobachten, wie dieses »Plasma« in den vierten Dichtegrad hinübergleitet, wo es hinsichtlich Konsistenz, Leuchtkraft und elektromagnetischem Spektrum nicht viel anders wirkt als auf der physischen Ebene. Aber dann wird es wieder auf die physische Ebene zurückgezogen, schwebt hin und her zwischen den beiden Dimensionen. Es kann die Schwingung der vierten Dimension nicht halten – *noch* nicht jedenfalls. Aber so häufig, wie ihr inzwischen Löcher in der Sonne seht, begreift ihr wohl, dass der endgültige Sprung zu einem nahen Zeitpunkt stattfinden wird.

Eure Sonne und all die Lebewesen auf den anderen Planetenwelten in der Nachbarschaft eures Sonnensystems stehen bereit, nicht mehr nur in die vierte Dimension hinein- und wieder hinauszuspringen, wie ihr es bereits tut, sondern endgültig in sie einzutauchen.

Seit unseren ersten Übertragungen durch dieses Channelmedium bis heute – also mehr als zwei Jahrzehnte lang – haben wir euch Zeit und Raum gelassen, das Geschehene zu verarbeiten. Dabei habt ihr das Erdenjahr 2012 durchlebt, in dem sich das Große Rad oder die »Große Verschiebung der Zeitalter« und die Achse eures Planeten gedreht haben.

Die Achse hat sich nicht vollständig umgekehrt, aber Gaias Achsenwinkel hat sich ganz klar verschoben.

Von den Eisgebieten rund um den Nordpol bis zu den schneebedeckten Stränden auf der Südhalbkugel und überall dazwischen geben die nativen Hüter der Weisheit eures Planeten ihr Bestes, um die Menschheit wachzurütteln, damit sie diese dringliche Realität erkennen. Sie sind Erde, See und Himmel noch immer so nah, dass sie eng mit Gaias Geist verbunden bleiben, und können deshalb spüren, wie diese Räder in Bewegung geraten.

Sie wissen, dass die Sonne heute über einem anderen Horizont aufgeht als vor eurem Jahr 2012. Sie kennen die Jahreszeiten – das natürliche Ordnungssystem der Erde –, weil sie auf die Seele der Großen Mutter eingestimmt sind. Mehr noch, sie fühlen ihr Herz, das Ausdruck in den Harmonien der Natur findet: Energien, die nachlassen, wie sie euch mitzuteilen versuchen. Leben, das im Begriff ist, vom Angesicht der Erde zu verschwinden, wie sie euch zu zeigen versuchen. Wir merken an, dass ihre tiefgreifenden Beobachtungen nicht weniger zutreffend sind als die Messungen der technologischen Ausrüstungen, die derzeit eure Himmelsposition in Relation zur Sonne und die großen kosmischen Veränderungen definieren, die diese Position beeinflussen.

Wir hören die Debatte, die zwischen euch entbrannt ist. Viele von euch leugnen nämlich noch immer die extremen Veränderungen auf der Erde, und aus Gründen, die euch sicher klar sind, ist das Thema Klimawandel und geophysische Veränderungen auf eurem Planeten nach wie vor eine Art soziopolitisches Footballspiel, in dem es keinen Gewinner geben kann. Die verschiedenen Standpunkte entfernen sich immer weiter voneinander, obwohl ihr als menschliche Gattung so viele wichtige Einsichten gewinnen könntet, wenn die gegnerischen Mannschaften nur ihre Kräfte vereinen und diese Energien nutzen würden, um Gaia zu heilen.

Wir haben kein Interesse daran, in das System aus Rechtfertigungen und Anschuldigungen verwickelt zu werden, das sich rund um diese Informationen und die Ansammlung mehr oder weniger bedeutsamer Daten rankt, mit denen das Offensichtliche bewiesen werden soll. All das ist nichts weiter als eine Lektion in Sachen Sinnlosigkeit. Denn was wirklich thematisiert werden sollte, ist die Tatsache, dass euer Planet trotz künstlich herbeigeführter Wettermuster durch irgendetwas erwärmt wird. Ist es die Sonne oder menschliche Achtlosigkeit?

Wir behaupten, es ist beides.

Ihr wisst, dass es im Interesse der Unternehmen liegt, die die Erde ausbeuten, dass ihr weiterhin Energie durch die Nutzung fossiler Brennstoffe gewinnt und Entwicklung und Fortschritt wegweisender Technologien blockiert werden, die alternative Energiequellen – saubere Energie – nutzen, welche den Bedarf des gesamten Planeten decken könnten. Es muss wohl kaum gesagt werden, dass alle ganzheitlichen, friedvollen Zivilisationen ihre Energie direkt von ihrem jeweiligen Zentralstern oder aus Sternenkollektiven in ihrer Reichweite beziehen.

Sicher begreift ihr, dass die Leugnung des Beitrags, den die Menschheit zur Erderwärmung leistet, eure Entschlossenheit schwächt. Sie behindert alle legitimen Versuche, dieser hochprofitablen, zutiefst destruktiven Deckung eures Energiebedarfs ein Ende zu bereiten.

Ihr seid Zeugen enormer Schwankungen und Störungen in den Wettermustern in Form von Dürreperioden, Überflutungen und allen möglichen weiteren Umweltkatastrophen. Es gibt auch geologische Hinweise auf Verschiebungen des Bodens unter euren Füßen. Sie sind heftig, sie treten immer häufiger auf und sie verändern die Landschaften eurer Städte und Dörfer für alle Zeiten.

Wann immer es zu solchen starken Erdbeben kommt, wie sie im Augenblick im Zuge der Drehung des kosmischen Rads der Zeitalter auftreten, könnt ihr beobachten, wie sich das Gleichgewicht, in diesem Fall sogar die Planetenachse selbst, verändert. Verschiedene Faktoren beeinflussen die Stabilität und den geophysischen Verfall der Erde, und wir bestätigen, dass es trotz menschlicher Eingriffe in eure Wettersysteme und das Aurafeld beziehungsweise die atmosphärischen Schichten, die euren Planeten umgeben, einen Sonneneffekt von bisher ungekanntem Ausmaß gibt, der stark zu diesen Veränderungen beiträgt.

Alle Planeten in eurem Sonnensystem mutieren derzeit hinsichtlich Form, Energiefeldern, Leuchtkraft und Magnetismus. Die Erde zählt zu den am extremsten Betroffenen, aber in eurer Gegend des Weltraums ereignen sich noch zahlreiche weitere Dinge – auf Planeten, Monden und Asteroiden, ja, aber ganz sicher nicht nur auf ihnen. Auch der Raum zwischen ihnen und ihre Anziehung verändern sich, wie bereits erwähnt, drastisch … und das ist eindeutig das Werk der Sonne.

Im Falle eurer Sonnenfamilie geschieht das, was einer Himmelsform widerfährt, bis zu einem gewissen Grad auch allen anderen – deshalb müsst ihr neugierig sein, wie sich die Dinge auf anderen Planeten entwickeln. Die Sensiblen unter euch spüren den Einfluss der Planeten, der Sonne und des Mondes stark und ehren deren Kräfte und Energien seit Jahrhunderten und in den verschiedensten Traditionen mithilfe zahlreicher Rituale. Euer Mond, der die Gezeiten verursacht und eure Emotionen verschiebt, ist Beispiel genug dafür, wie wichtig jedes einzelne Himmelswesen für eure persönlichen Prozesse, aber auch das Gemeinschaftsverhalten und die öffentliche Wahrnehmung ist. Ihr braucht euch nur mit den Lokalnachrichten zu befassen, um zu erkennen, dass bei Vollmond die Gewaltbereitschaft zunimmt und emotional instabile Personen in verheerendem Ausmaß aus dem inneren Gleichgewicht gebracht werden. Ihr wisst tief in eurem Inneren, dass ähnlich dem Beispiel der interaktiven Energien zwischen den Planeten alles, was einem von euch widerfährt, in unterschiedlichem Ausmaß und auf verschiedenen Ebenen *allen* von euch geschieht.

Was euch jede Erfahrung – Erfahrungen, die ihr, wir ihr genau wisst, in den kollektiven Energie- und Gewahrseinspool einbringt – so außerordentlich einzigartig erscheinen lässt, ist das, was ihr als individuelle Beobachter und Teilnehmer mit diesen Energien anstellt. Wir bitten euch, dies im Hinterkopf zu bewahren, wenn wir die von unserem Standpunkt aus wichtigsten Veränderungen beschreiben, die in eurem gesamtem Sternensystem beobachtet werden können, allesamt gesteuert durch die Mutationen eures Sterns, der aufgeladenen galaktischen Umgebung in seiner Nähe und das Feld interstellarer Aktivität des »interdependenten Energiekörpers« eures Sonnenfelds.

Wir wollen uns vornehmlich auf euren Stern und eure Planeten-, Mond- und Asteroidenfamilie konzentrieren, werden aber auch über den ziemlich drastischen Anstieg der Wellen von Weltraumstaub sprechen, die eure Himmelsbereiche durchdringen.

Euer Sonnensystem erzeugt in dieser Stunde seines großen Übergangs einen ziemlichen musikalischen Aufruhr. Es ist eine intensive, hohe Frequenz, das beschleunigte Sirren von Himmelskörpern in einem stark aufgewühlten Weltraum … und Wesen aus vielen Schichten oder Dichtegraden (wie wir sie lieber nennen) konzentrieren sich ganz besonders auf Gaia. Sie sind besorgt, weil Gaia so damit zu kämpfen hat, durch die Disharmonien ihrer gesamten planetaren Ausdehnung vorzustoßen, während sie gemeinsam mit den anderen Planeten, Monden und

Asteroiden – ja, selbst dem interstellaren Staub –, die gemeinsam eure Sonnenfamilie bilden, immer schneller wird.

Aufgrund dieser Beschleunigung verschiebt sich alles Leben dort – auf jedem einzelnen Planeten – dramatisch ... und so auch ihr. Jetzt ist es wichtiger denn je, den Gedanken zu akzeptieren, dass ihr diesen Prozess nicht allein durchsteht. Dramatische Veränderungen stehen an, auf jedem einzelnen Planeten, jedem Mond, jedem Asteroiden, jedem Himmelskörper in eurem System.

Von der subatomaren Ebene bis hin zu den Hauptelementen der Materie und Änderungen in der Form sowie deren Auswirkungen auf die interaktiven Lebensformen gleich welcher Umgebung entwickelt sich derzeit alles rasant weiter, entsprechend der Emissionen, der Transmutationen und des Lieds eurer Sonne.

Der passendste Vergleich, den wir zur menschlichen Erfahrung ziehen können, ist der Augenblick, in dem der Körper kurz davorsteht, eine »Kundalini-Erweckung« zu durchleben. Wie die Chakrenräder, die eure elektromagnetischen Körper und Energiefelder am Laufen halten, richten sich auch alle Himmelswesen, aus denen sich euer Sonnensystem zusammensetzt, auf diese höheren Frequenzen aus. Jeder Planet und jedes Lebewesen auf diesen Planeten kennt diese Musik, denn es handelt sich um die essenzielle »Seelenmusik« des Kosmos. Und auch, wenn sie in eurem Sonnensystem noch nie zuvor ein solches Crescendo erreicht hat, erlebt jedes Lebewesen und jede planetare Gottheit diese Intensität als eine Erweiterung seiner eigenen Essenz und reagiert auf seine ganz individuelle Weise durch starke Beschleunigung.

Ihr könnt sicher sein, dass Wissenschaftler weltweit mit großer Sorge die Energieverschiebungen all der Planeten untersuchen, die eure Sonne umkreisen. Doch nur die Geheimregierung kennt das große Ganze. Ihre Mitglieder sind Agenten, deren Sicherheitsfreigabe mehrere Ebenen über der von Präsidenten und anderen sichtbaren politischen Figuren steht, die eure Regierungen zu stellen scheinen.

An oberster Stelle stehen die Anunnaki-Herrscher – ihr kennt sie als reptiloiden Adel. *Es ist ihnen so wichtig, die Schwingung der Erde so weit wie möglich abzusenken, damit Nibiru beim Aufstieg mitgezogen werden kann.*

Was glaubt ihr, warum sie so viel Mühe darauf verwendet haben, euch den Blick auf die Sonne zu versperren, indem sie Wolkenformationen chemischen Ursprungs einsetzen? Sie ertragen es nicht, das Licht zu sehen, das aufsteigt und ihren Plan vereitelt – und sie wollen, dass auch ihr es nicht sehen könnt.

Sie befinden sich in den letzten Zügen der Schlussszene ihres langen Dramas auf der Erde und begreifen, dass sie selbst der Grund für ihre eigene Zerstörung sind. Und was euch betrifft: Euer Schicksal ist ihnen egal, denn euer Planet ist ihnen gleichgültig und war es immer schon.

Sie scheren sich kein bisschen um euch.

Trotz dieser chaotischen letzten Machtdemonstration haben sie endlich begriffen, dass Nibiru nicht gerettet werden kann und auch noch nie gerettet werden konnte. Um mit Nibiru mitzuschwingen, hätte die Erde fast vollständig zerstört werden müssen. Es ist ihnen gelungen, den Planeten nahe an dieses Ziel zu bringen, und das ist euch auch klar, aber ihr Plan ist nach hinten losgegangen. In Anbetracht des neuen Zeitalters, das unaufhaltsam auf euch zukommt, müssen sie erkennen, dass sie sich auflösen wie Salz auf einem Echsenschwanz.

Dass sie euch unterdrücken, führt nur dazu, dass ihr euch über sie erhebt, Tag für Tag ein wenig mehr. Sonne und Erde sind unaufhaltsame Quellen höherer Energien, die dem Dröhnen ihrer Absichten mit einem Chor höherer Oktaven, lieblicheren Liedern und Musik aus der Seele Gaias begegnen.

Und so ist ihr Traum ausgeträumt. Ihre Motivation ist verschwunden und sie wollen euch dafür hassen, dass ihre Programme fehlgeleitet waren und ihre Träume geplatzt sind. Sie verabscheuen Fehler und wollen euch – den Unkontrollierbaren, die sich weigern, sich zu beugen und ihre Macht aufzugeben – die Schuld dafür geben. Sie wollen euch einen unfreien Planeten hinterlassen. Weil er ihre Bedürfnisse nicht befriedigen konnte, soll er auch eure nicht befriedigen können. Alles andere würde für sie die absolute Erniedrigung, die endgültige Niederlage bedeuten.

Sie sind Krieger bis zum bitteren Ende und können eine solche Niederlage nicht ertragen.*

Die Gemeinschaft der Weltraumforscher ist sich noch nicht darüber bewusst, was da eigentlich vor sich geht, weil ihre Mit-

---

* Im AMRA Verlag sind gleich mehrere Standardwerke über das Wirken der Anunnaki erschienen: *Die Anunnaki Chroniken* (2018) präsentiert die gesammelten wissenschaftlichen Aussagen und Nachweise von Zecharia Sitchin, des Begründers der Anunnaki-Forschung. Mit *Der König, der sich weigerte zu sterben* (2017) schrieb er auch einen Roman, der das Gilgamesch-Epos in diese historische Perspektive rückt. *Zecharia Sitchin und die außerirdische Herkunft der Menschheit* (2020) ist eine Biografie von M. J. Evans, die einen Überblick über sein Leben und Schaffen gibt. In dem Buch *Die Anunnaki* (2015) betont Gerald R. Clark die Funktion der menschlichen Chakren als Empfangsanlage für Fremdsteuerung, während Nick Redferns *Das Blut von Aliens* (2016) der Frage nachgeht, ob der Rhesus-Faktor negativ nicht Aufschluss darüber geben könnte, inwieweit der heutige Mensch genetisch von den Anunnaki manipuliert wurde. Neueste Forschungsergebnisse vor allem mit Blick auf das Christentum enthält die Anunnaki-Trilogie des schwedischen Rückführungstherapeuten Jan Erik Sigdell, bestehend aus den Einzelbänden *Die Herrschaft der Anunnaki* (2016), *Der Geheime Krieg der Anunnaki* (2017) und *Die Manipulationen der Anunnaki* (2020). Leseproben auf www.AmraVerlag.de.

glieder nach wie vor nicht an den Aufstieg glauben und auch nichts davon verstehen. Aber sie sind in großer Sorge über das, was sich im Weltraum abspielt. Eine bisher beispiellose Anzahl an Satelliten fällt aus, sowohl auf der Erdoberfläche als auch in der äußeren Atmosphäre. Diese Energie- und Formtransmutation verändert sogar den Weltraummüll und die technologischen Schilde, die euren Planeten umgeben. Eure Wissenschaftler geben zu, verblüfft zu sein, weil ihre physikalischen Gesetze wie so oft außer Kraft gesetzt werden.

Sie sehen die Sonne, die sie in ihrer materiellen Manifestation als Plasma aus Gasen und radioaktiver Verbrennung konzeptualisiert haben, und nun bricht sie mit ihren Eigenschaften und ihren extremen und beständigen Veränderungen die Regeln der etablierten Wissenschaft. Trotz allen technologischen Fortschritts gibt es immer noch keine Ausrüstung, die die Emissionen, Ausbrüche der Sonne messen oder vorhersagen könnte – *und nun verschwindet sie auch noch teilweise!*

Vor allem aber verstehen sie nicht, dass die Sonne und Sterne im Allgemeinen ein *Bewusstsein* haben. Die Wissenschaft lässt ja schon die Vorstellung kaum zu, dass überall, wo Leben existiert, Bewusstsein *überhaupt* eine Rolle spielt. Bis sie anerkennen, dass die Sonne ein bewusstes Geschöpf mit einem ganz spezifischen Ziel ist, werden sie Ursache und Wirkung der Mutationen der Sonne ratlos gegenüberstehen, vor allem jenen geheimnisvollen koronalen Löchern, die Vorboten des vollständigen Verschwindens der Sonne sind.

Wie wir bereits sagten, gibt es bisher keine Technologie, keine Datenanalyse, keine Methodologie, mit der man die Seele und die Weiterentwicklung des Geistes messen könnte. Vor allem müsste man zunächst einmal daran glauben, dass die Seele auch wirklich existiert, ehe man ihre Weisheit, ihre Kraft und ihre unabhängige Richtung messen könnte. Einzig eine umfassende Wissenschaft, die die Seele – ihren kreativen Willen und ihre existenzielle Zielsetzung – zumindest in Betracht zieht, kann auch nur im Ansatz ein Verständnis für die Himmelsdynamiken des Aufstiegs entwickeln.

Deshalb erinnern wir euch daran, dass alles, was von Wissenschaftlern kommt, beschränkt ist auf die Beobachtung von Ereignissen und Manifestationen auf der Sonnenoberfläche und der Wirkung der Sonne auf die Planeten in ihrer Umlaufbahn. Diese Beobachtung an sich verändert bereits den Ausdruck, den diese Ereignisse finden. Was auf Seelenebene geschieht – *und das ist das Kernthema des Aufstiegs* –, entgeht der Wissenschaft vollständig.

Hoffentlich wird sich das ändern. Möge in der Zwischenzeit das gewaltige Ausmaß dieses Prozesses von allen Lebewesen wahrgenommen werden – nicht nur von denen, die in ausreichendem Maß erwacht sind, um die Seele der Sonne, der Erde und der Sterne zu spüren. Jenen, die ihren Geist tief in ihrem Inneren aufleuchten lassen – einen Geist, der nicht analysiert, nicht gemessen, nicht ausgelöscht werden kann.

Und dann ist da noch die Musik – die Himmelssinfonie, die ihr mit euren physischen Ohren nicht hören könnt, denn trotz der großen Bandbreite an Klängen, die ihr wahrnehmt, sind eure Ohren nicht auf Himmelsklänge ausgerichtet. Natürlich, einige Tiere können mehr hören als ihr, weil das für ihre Fortbewegung und ihr Überleben in ihren jeweiligen Lebensräumen unabdingbar ist – von der winzigen Motte bis zum mächtigen Elefanten und den großen Walen, aber auch für zahllose weitere Arten. Doch wenn ihr in die vierte Dimension hinein- und wieder hinausgleitet oder euer Geist eure physische Form zurücklässt und durch Träume oder auf

Astralreisen schwebt, dann seid ihr dazu in der Lage, das Lied des Universums zu hören.

Wichtig ist dabei zu begreifen, dass ihr (falls das nicht schon längst geschehen ist) anfangen werdet, den Rhythmus, das Summen und den Chor der Planeten wahrzunehmen – und dies ist, wie bereits zuvor erwähnt, die *Sphärenmusik.* Im göttlichen Verhältnis der Himmelswesen, die an eurer Sonne hängen und ihre Flamme endlos umkreisen, existiert eine höhere Form von Musik, bei der es sich um die *harmonische Resonanz des Bewusstseins* handelt, das seine Seele ins kosmische Medium hineinspielt. Diese außergewöhnlichen Töne und sphärischen Vibrationen spiegeln stets die Planetenpositionen in Bezug aufeinander und auf die Sonne wider – und zweifellos auch auf Planeten jenseits eures Sonnenkörpers. Lasst uns aber für unseren hiesigen Zweck so gut wir können messen, wie die Himmelsmusik die unmittelbare Umgebung prägt: vom »Kern« eurer Zentralsonne bis in die Aura-Umhüllung des gesamten Systems.

Wir wissen, dass der Ausdruck und das Konzept »Sphärenmusik« euch nicht neu sind, da bereits die alten Weisen davon sprachen. Pythagoras, der Eine, konnte sie in seinem Kopf sogar hören, weshalb es ihm schwerfiel, in der dritten Dimension verankert zu bleiben. Für jeweils kurze Zeiträume gelang es ihm aber. Als Sternenwandler von höchster Integrität versuchte er, so weit es zu seiner Zeit möglich war, sein Wissen um den Seelenkosmos in seiner Mysterienschule zu teilen. Aber nur einige wenige waren dazu in der Lage, die Wahrheit in seinen Lehren zu erkennen. Nicht einmal die ägyptischen Hohenpriester konnten sein Wissen begreifen, denn sie waren so durchdrungen von ihrer eigenen Tradition, dass sie die Genialität eines »Normalsterblichen« nicht anerkennen mochten. Sie konnten ja nicht ahnen, dass er ihren Begriffen nach ein Gott war. Als größter Zeitreisender, den die Erde jemals gesehen hat, war er während jedes Wendepunkts anwesend, an dem die Zivilisation neue Höhen ihres Wissensstands und Kollektivbewusstseins erlangte. Er war unter euch als Hermes Trismegistus, als Thoth und Imhotep, da und wieder dort, ein geübter Wandler im Raumzeitkontinuum ebenso wie in den höheren Dimensionen – *und er ist immer noch da.*

Wenn ihr die Sphärenmusik zu hören beginnt, werdet ihr ihn sehen, irgendwo zwischen den violetten und purpurnen Schattierungen des Regenbogens und jenseits davon.

Wenn ihr euch nun vor Augen führt, dass eure Realität kaum mehr ist als eine Kostprobe von interagierenden Klang- und Lichtfrequenzen und dass die Bandbreite dessen, was ihr wahrnehmen könnt, weitaus kleiner ist als die all dessen, was ihr nicht wahrnehmt, könnte euch das von jeglichen vorgefassten Meinungen darüber befreien, was real ist und was nicht. Und dadurch könnte es euch wiederum leichter fallen zu begreifen, dass die schneller werdenden Vibrationen der Sonne die Tonlage des gesamten Systems verändern und dass all die Planeten nach den Anweisungen des großen Dirigenten spielen.

Die elektromagnetische Resonanz der Erde hat sich verändert – und damit auch ihre Musik. Diese Beschleunigung spielt sich in all ihren Bereichen, all ihren Lebensformen ab: der kristallinen Matrix, der geschmolzenen Lava, dem Wasser, der Luft und auch in dem DNA-Gitter, das allem biologischen Leben auf und innerhalb des Planeten zugrunde liegt. Ausgerichtet auf die neuen Harmonien eines erwachenden Sterns ertönt das Erdenlied auf allen atmosphärischen Ebenen des Aurafelds und spielt dieses Crescendo, das von der Sonne dirigiert wird und durch den Weltraum schallt.

Bei seiner Durchquerung des galaktischen Raums eurer Sonne aktiviert dieses Lied das subatomare Reich, das die Grundlage allen Existierenden ist, und versetzt es im positivsten Sinne in Aufruhr. Wir sagen euch, dass eure Sonne, eure Erde und alle anderen Planeten miteinander harmonieren. Sie spielen die Vibrationen eurer solaren Beschleunigung in die DNA eures Seins hinein – und das kann nur bedeuten, dass ihr im schönsten Sinne auf Klang umgepolt werdet! Die Musik ändert sich die ganze Zeit über, spiegelt aber immer die göttlichen Proportionen, den göttlichen Rhythmus und die göttliche Tonlage wider.

In den früheren Lichtbotschaften haben wir bereits lang und breit über DNA gesprochen, darüber, wie sich die schlafenden Stränge langsam wieder zu geometrischen Formen zusammensetzen, die heilige Erweiterungen auf dem elementaren Tetraeder darstellen – Formen, die sich in eurer Doppelhelix neu strukturieren und selbst replizieren. Wir erwähnen das hier, da es die Musik betrifft, die von eurem Stern ausgeht und den gesamten Sonnenkörper und die Wolke oder Aura, die ihn umgibt, durchdringt.

Wenn der galaktische Raum, der dieses gewaltige Sonnenfeld umgibt, noch immer nicht so schnell vibriert wie die Sonne, dann … nun ja, dann hat er die neuen Oktaven vielleicht noch immer nicht integriert.

Aber das wird er … genauso wie ihr, bis in die Lichtstränge der DNA eurer subatomaren Essenz: des Mikroversums.

Kapitel 3

Elektromagnetismus

Der Klebstoff, der alles zusammenhält

Kommt an Bord unseres solaren Forschungsfahrzeugs, das eure kreative Vorstellungskraft dazu anregt, sich in die kosmische Tasse herumwirbelnder Himmelswelten zu begeben, und gesellt euch zu uns, während wir die aktuellen und sich entwickelnden Fortschritte innerhalb eurer Sonne, auf den interstellaren Ebenen und jenen Planeten beobachten, die wir besonders interessant finden, insofern als dass ihre Körper und Energiefelder ausgesprochen bemerkenswerte Änderungen in ihrer Form und ihren elektromagnetischen Abstrahlungen manifestieren.

Es ereignet sich eine signifikante Beschleunigung, Erhellung und Veränderung all dieser Himmelskörper, die dank der Fortschritte eurer Weltraumforschung und Satellitensonden inzwischen genauer beobachtet werden können. Schon bald werdet ihr von der Entdeckung mehrerer neuer Planeten in eurem Sonnensystem erfahren. Sie sind – selbst im Vergleich zu einigen Planetenmonden – winzig, aber auch auf diesen Zwergen gibt es Lebensformen.

Da die Sonnenenergien in Form zyklischer Manifestationen zunehmen und abnehmen, die einem grob elf Jahre dauernden Zeitraum entsprechen (berechnet nach der Erdenzeit), steht zur Debatte, ob die Aktivierung der Planeten in eurem Sonnensystem und der Lebensformen auf ihnen möglicherweise nur auf Anstiege in den elektromagnetischen Sonnenfeldern zurückzuführen ist. Wir möchten vorbringen, dass es sich bei dem, was sich in dieser finalen Vorbereitungsphase auf den solaren Aufstieg manifestiert, nicht nur um die sonneneigene schwankende Energie und physische Transmutation in und aus der »Form« handelt. Es findet auch eine Beschleunigung in der stark aufgeladenen galaktischen Umgebung statt, in der sich euer Stern an diesem äußerst kritischen Entscheidungspunkt befindet. Diese mag wie bereits erwähnt nicht so intensiv sein wie die eurer Sonne, aber sie steigt proportional an. Es ist kein Zufall, dass der positiv galvanisierte galaktische Raum, der von hochaufgeladener photonischer Aktivität geprägt ist, dazu dienen wird, den Übergang eurer Sonne zu »beherbergen« wie eine Art fantastisch entworfener Entbindungsstation, von der aus ihr in den vierten Dichtegrad aufbrecht.

In diesem göttlichen Tanz interaktiver, bewusster Wesen (die für euch in Relation zu eurer Form und euren energetischen Möglichkeiten Riesen sind) treten Mutationen in der Form und Energieverbesserungen nicht nur ausgehend von der Sonne und gerichtet auf die Planeten und Monde in ihrer Umgebung auf. Wir möchten der Genauigkeit halber darauf hinweisen, dass diese Veränderungen auch in dem stark aufgeladenen Raum rund um die Sonne auftreten, wo sie die Aura-Umhüllung aktivieren, die euer Sonnensystem einschließt. Diese wiederum spielt eine aktive Rolle für die Stimulation aller Partikel vom Staubkorn bis zum Asteroiden – in Synthese mit dem Abdruck der Sonne und als Spiegelbild der kosmischen Seele.

Alles von den entlegensten Planeten eurer Sonne bis hin zu der Wolke, die sie umgibt,* beschleunigt … und erhitzt sich. Gleich einer makrokosmischen Entsprechung eures eigenen Aurafelds ist die »Wolke«, von der wir hier sprechen, die Aura-Barriere eures Sterns, ein gebärmutterartiger Schutzschild, der die Gesundheit eures gesamten Systems widerspiegelt. Und diese Wolke befindet sich in einem Zustand der Ausdehnung.

Alle bewussten Wesen erzeugen ein Aurafeld, das ihre biologischen, physischen und spirituellen Energiekörper reflektiert und unterstützt. Die Erde als Repräsentantin aller Planetenwesen ist ebenfalls von einer solchen Aura umgeben, die aus vielen Schichten besteht. Manche beschreiben sie als »Atmosphäre«, andere als »Aura«, je nachdem, in welchem Kontext das Phänomen beschrieben wird und was für ein Seelenkonzept der Beobachter vertritt. Trotz wissenschaftlicher Behauptungen, das Gegenteil sei der Fall, verfügen alle Planeten über ein Aurafeld und haben entsprechend eine Art Atmosphäre, wie schwach wahrnehmbar sie auch sein mag.

Diese atmosphärischen Schichten sind für eure Weltraumforscher von größtem Interesse. Sie spiegeln die Gesundheit und die Konstitution eines Planeten wider, die durch technologische und militärische Fähigkeiten fast immer negativ beeinflusst werden.

Wir haben euch von den Geräten und Aktivitäten erzählt, die euer Militär einsetzt, um das Erdschild zu manipulie-

---

* Gemeint ist hier die »Oortsche Wolke«, auch als zirkumsolare Kometenwolke oder Öpik-Oort-Wolke bezeichnet. Sie wurde 1950 von dem niederländischen Astronomen Jan Hendrik Oort als Ursprung der langperiodischen Kometen postuliert. Er griff damit einen Vorschlag des estnischen Astronomen Ernst Öpik von 1932 auf. Für die offizielle Wissenschaft gilt diese kugelschalenförmige Ansammlung astronomischer Objekte im äußeren Bereich des Sonnensystems noch immer als rein hypothetisch und nicht nachgewiesen; siehe https://space-facts.com/oort-cloud/.

ren – vor allem, aber nicht nur die Ionosphäre. Dadurch entstehen Störungen in der Magnetosphäre, der Außenschicht des Aurafelds eures Planeten, die durch ein magnetisches Kraftfeld dominiert wird und direkt mit den schwankenden und unvorhersehbaren elektromagnetischen Aktivitäten der Sonne interagiert: elektrische und magnetische Eigenschaften ... zwei einander ergänzende Aspekte derselben energetischen Kraft. Dies ist sehr wichtig für euer Verständnis, wie die Sonne die Erde anzieht und abstößt und auf welche Weise sie im passenden Augenblick alle Planeten durch ihren Astralkanal ziehen wird.

Alle Planeten weisen durch ihre atmosphärischen Außenkörper, die komplexer Natur und Form sind, Magnetismus auf. Aber der Klarheit halber möchten wir uns hier auf die Magnetosphäre beschränken – also die Außenhülle. Diese Schicht schützt den Planeten vor einem direkten Bombardement durch Sonnenwinde und hochenergiegeladene Partikel, indem sie diese an ihrem Auftreffpunkt direkt umleitet und von dort aus auf dem gesamten Planeten verteilt. Im Wesentlichen lässt sich sagen, dass die Magnetosphäre kosmische Solarstrahlen über den gesamten Planeten verteilt und dann wieder hinaus in den interstellaren Raum schickt.

An dieser Stelle werden wir euren Wissenschaftlern widersprechen, indem wir erklären, dass alle Planeten mit Atmosphären Eigenschaften und Manifestationen dieser Schicht – der Magnetosphärenbarriere – aufweisen. Eure Wissenschaftler sagen, dem sei nicht so. Aber unseren Beobachtungen nach erfordern selbst die am Weitesten von der Sonne entfernten Planeten ein System, das die elektromagnetischen Abstrahlungen auf die gesamte Planetenfläche verteilt, damit der Himmelskörper und sämtliche Lebewesen, die er beherbergt, ihre Stabilität und ihr Gleichgewicht wahren können. Euer Wettrennen um die Erkundung des Tiefenraums wird eure Astrophysiker schließlich zu dem Schluss bringen, dass dieser Aspekt den Aurafeldern aller Planetenkörper eigen ist.

Einige Planeten weisen relativ schwache Magnetosphären auf, darunter der Mars. Andere sind stärker – am stärksten ist die, die Jupiter umgibt.

Dabei handelt es sich um eine komplexe Interaktion, und sie wissenschaftlich zu erklären, dient uns an dieser Stelle vielleicht nicht unbedingt, da sie für euch mit Sicherheit in mancherlei Hinsicht abschreckend ist – denn die komplexe Physik der Galaxis ist oft schwer zu erfassen. Aber da es unsere Absicht ist, die Beziehung zwischen den Planeten und zwischen Planeten und Sonne zu beschreiben, müssen wir auch auf die beteiligten Himmelsmechaniken eingehen.

Wichtig ist, dass ihr ein absolutes Grundprinzip begreift, nach dem das interplanetare/interstellare Magnetfeld funktioniert. Dabei handelt es sich um ein interdependentes, interaktives System, das in unterschiedlichem Ausmaß pauschal von den inneren Planeten bis hin zu jenen gilt, die weit von der Sonne entfernt sind.

Wie alle Himmelskörper und ähnlich wie eure menschliche Form ist die Sonne ein elektromagnetischer Organismus, der elektrische Strömungen und magnetische Eigenschaften aufweist, die von Faktoren bestimmt werden, welche mit der korrekten Funktionsweise ihrer Körperstruktur, ihrer interaktiven Beziehung zum galaktischen Feld und den Anforderungen ihrer bewussten Energie zusammenhängen. Monde und selbst Asteroiden (im Grunde nur gigantische Felsen im Weltraum) können Magnetfelder aufweisen, da sie die dazu nötigen Mineralienkomponenten – unter anderem Nickel und Eisen – enthalten und durch Nachbarplaneten magnetisiert werden können.

Ihr habt also ein Sonnensystem, das sich aus einer Zentralsonne, Planeten, Monden, Asteroiden, interstellarem Staub und maßgeblich auch Geröll zusammensetzt, die alle durch die elektromagnetischen Eigenschaften des Sterns miteinander verbunden sind – also durch Sonneneruptionen und elektrische Abstrahlungen, die selbst die am weitesten von eurem Zentralstern entfernten Planeten erreichen. Wir finden es ausgesprochen außergewöhnlich, dass diese Himmelskörper nach perfekten Proportionen an die Sonne gebunden sind, wie die Saiten eines Klaviers. Wir möchten euch anregen, einmal über diesen Umstand nachzudenken.

Die Distanz zwischen Planeten und ihren Monden, die Position dieser Himmelskörper auf ihren Kreisbahnen und die Energiefelder ihrer Innen- und Außenkörper werden alle perfekt aufeinander ausgerichtet sein – ein Sinnbild der heiligen Kosmometrie –, sobald euer Stern alles durch seinen Aufstiegskanal mit sich zieht und sie alle im neuen Licht der vierten Dimension wieder zutage treten.

Lasst uns einen genaueren Blick auf die wichtigsten Entwicklungen in eurer Sonnenfamilie werfen, die Ausdruck der planetaren Verbesserungen vor dem Aufstieg sind.

Erde

Auf dem Planeten eurer Wahl überlappen sich die niedrigeren Ebenen der Magnetosphäre mit der als »Ionosphäre« bezeichneten Schicht. Deshalb haben wir euch davor gewarnt, welche Konsequenzen es haben kann, wenn Menschen die Ionosphäre stören, und zwar nicht nur für den Planeten selbst, sondern auch für seine Schutzschilde. Wenn ihr die Ionosphäre zum Kochen bringt, heizen sich hochenergiegeladene Protonen und Elektronen auf und ihr stört die Magnetosphäre ... und das ist ausgesprochen gefährlich.

Die Magnetfelder der Erde kehren sich um, die Erdachse hat ihren Winkel verschoben und der Magnetpol, den ihr als

Nordpol kennt, verschiebt sich in östlicher Richtung. Ihr braucht dieser Information nicht mit Angst zu begegnen und ihr auch keine übermäßige Bedeutung beizumessen, da es sich um einen natürlichen Evolutionsprozess eures Planeten handelt und nicht um das Weltuntergangsszenario, das die Gedankenterroristen zeichnen, die euch in einen Zustand ständiger Angst versetzen wollen. Es ist ein gradueller Prozess, eine Beziehungsdynamik zwischen Sonne und Planeten und ein Vorbote der planetaren Verschiebung.

Das soll nicht heißen, dass diese galaktischen Bewegungen keine nachteiligen Manifestationen mit sich bringen. Ihr erlebt ja bereits unheilvolle Ereignisse bezüglich der geophysischen Beschaffenheit eures Planeten. Denkt immer daran, dass Gaia ein Lebewesen ist. Ihr werdet beträchtliche Verschiebungen ihres physischen, emotionalen und geistigen Körpers erleben und zu spüren bekommen. Vulkane brechen aus. Erdbeben (natürliche und provozierte) bringen den Boden unter euren Füßen ins Wanken. Klare Gletscher brechen ins Salzwasser der Ozeane. Die Kruste eures Planeten sinkt ab und reißt an den Nähten auf.

Natürlich sind das oft tragische Ereignisse, denn die Bedürfnisse eurer Zivilisation haben die Menschheit in Extremregionen des Globus getrieben und Gaia hat keinen Platz mehr, an dem sie aufgestaute Energien ablassen könnte, ohne Menschenleben zu zerstören. Wir möchten euch einladen, diese Phänomene mit angemessener Umsicht zu beobachten und dabei stets zu bedenken, dass euer Planet Platz zum Atmen braucht – um sich zu recken und zu strecken, zu verschieben und im kosmischen Takt zu tanzen.

Saturn

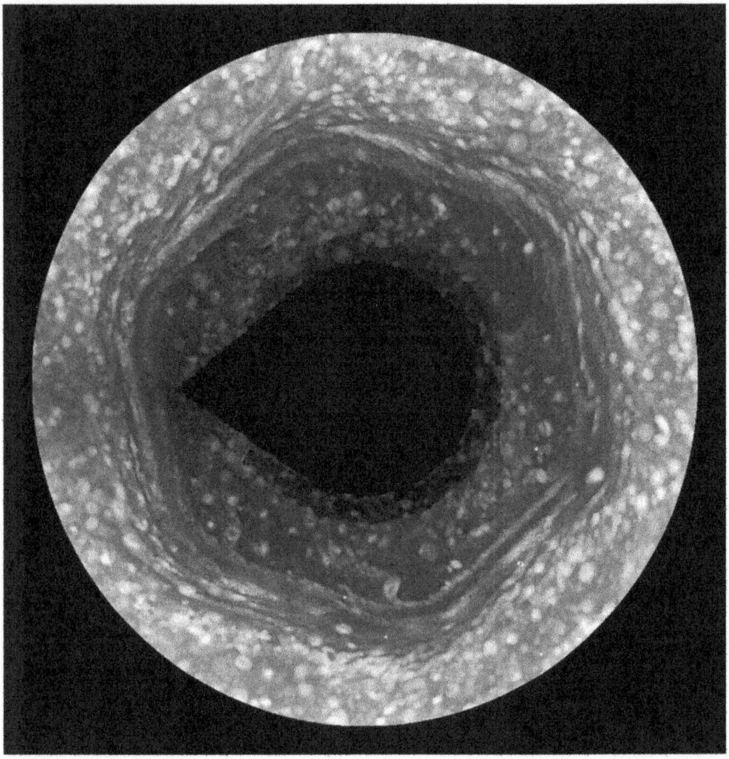

Copyright des Fotos by NASA/JPL/Space Science Institute, verfügbar auf https://photojournal.jpl.nasa.gov/catalog/PIA11682

Keine Diskussion des Saturns wäre vollständig ohne eine Beschreibung der exakt sechseckigen Wolkendecke an seinem Nordpol, die einen dauerhaften Sturm bedeckt und weit in die Innenatmosphäre des Planeten hineinreicht. Eure Astrophysiker suchen nach Antworten, wie die Entstehung einer so präzise umrissenen Formation möglich sein kann, sind aber nach wie vor – was immer häufiger der Fall ist – »verblüfft«. Das Erscheinen dieser geometrischen Form in der Atmosphäre eines nahegelegenen Planeten passt zu keinem entschlüsselbaren physikalischen Gesetz. Tatsächlich ergibt es einfach keinerlei Sinn und wird es auch nie, bis eure Wissenschaftler anerkennen, dass alle Dinge im Multiversum ihrer Natur entsprechend heilige Formen aufweisen. Sie sind, wie wir euch schon häufiger gezeigt haben, die Basis des großen Designs hinter aller Schöpfung.

Dieses sechseckige Mysterium spiegelt den bewussten Ausdruck des Planeten der magischen, dem sechsseitigen Stern innewohnenden Weisheit wider: »Wie oben, so unten. Wie unten, so oben.«

Und als würde das nicht bereits ausreichen, um eure Vorstellungskraft anzuregen, kommt noch die außergewöhnliche Tatsache hinzu, dass dieser Pol plötzlich die Farbe gewechselt hat – statt Blau weist er nun einen Goldton auf. Wie viel eindeutiger könnte die Beschreibung eines Planeten, der sich in einem beschleunigten Verbesserungsprozess befindet, wohl ausfallen?

Die geheimnisvollen Ringe, die Saturn umgeben und als symbolisch für den Staub und die Gase gelten, die die Sonne umgeben, werden derzeit deutlich enger und schon bald ganz verschwunden sein. Die Partikeldichte, die ihre Struktur bildet, ist stark reduziert. Auch dies hat wieder zu tun mit der Verschiebung des Planeten hin zu einem verbesserten Dichtegrad und einer höheren Schwingung. Wir haben beobachtet, dass die winzigen Monde, die innerhalb dieser Schichten auftreten, von der materiellen Ebene des Planeten absorbiert werden und vermutlich verschwinden werden, angefangen bei jenen, die der Planetenoberfläche am nächsten sind.

Jupiter

Das Jahr 2012 hat den Giganten Jupiter durch ein Meteoritenbombardement von so gewaltigem Ausmaß beeinflusst, dass selbst Amateurastronomen es von der Erde aus beobachten konnten. Seitdem hat Jupiters Atmosphäre ihr Farbsortiment im sichtbaren, aber auch im unsichtbaren (Infrarot-) Spektrum verändert. Ähnlich wie bei den verschwindenden Ringen um Saturn sind auch die Gasringe, die die Südhalbkugel Jupiters umgaben, verschwunden – ein Zeichen, dass das Aurafeld des Planeten auf erhöhte Sonnenaktivität und die Schwächung seines Magnetfelds reagiert. Das alles dient natürlich der Vorbereitung von Jupiters Reise durch den Astralkanal der Sonne zu den höheren Schwingungsfeldern des vierdimensionalen Dichtegrads.

Mars

Euer gar nicht so weit entfernter Nachbar befindet sich inmitten des Rückgewinnungsprozesses seiner bewohnbaren Atmosphäre, was vor allem auf das Terraforming-Projekt zurückzuführen ist, das eure Regierung dort vornimmt, und zwar in Zusammenarbeit mit ihren Partnern vom Mars (und unter strenger Bewachung durch diese). Die »freie« Energie, die auf der Erde unterdrückt oder euch zumindest verwehrt wird, ist die Quelle, aus der dieser Effekt erzeugt wird. Dabei handelt es sich um gerichtete Solarkraft, die das Schmelzen der Polkappen ermöglicht, welche wiederum große Mengen an Kohlendioxid freisetzen – und so wird eine Kettenreaktion losgetreten. Ihr wisst durch den sogenannten »Treibhauseffekt« solcher Gase auf der Erde, dass dadurch Wärme erzeugt wird: Die Hitze, die benötigt wird, um die neu entstehende Atmosphäre auf dem Mars zu wärmen und zu stärken.

Die Techniker des Untergrunds auf dem Mars – Menschen wie Außerirdische – haben diesen beschleunigten Treibhauseffekt, der die Eiskappen auf dem Planeten rasch schmelzen lässt und dadurch den Wasserfluss wiederangeregt hat, erfolgreich voranbringen können. Ebenso erfolgreich forsten sie den Mars auf und führen neue Arten in die Flora des Planeten ein – dank Saatgutes von der Erde. Die sogenannten Saatbanken, die unter Eis und Erde auf eurem Planeten vergraben wurden, bieten eine große Bandbreite an Pflanzen, mit denen sich der Mars vollständig regenerieren lässt. Bisher verläuft das Unternehmen ausgesprochen erfolgreich. Die Gärten wachsen und mit ihnen der Sauerstoffgehalt.

Das elektromagnetische Feld, das den Mars umgibt, war bisher mehr als schwach, und zwar wegen der Sonnenwellen, die die dortige Atmosphäre entreichern. Aber auch das verändert sich. Bald werdet ihr erfahren, dass der Mars seine Atmosphäre wiedergewonnen hat und er im Gegensatz zu den düsteren Bildern, die man euch zeigt, über Ozeane, Flüsse und saftig grüne Regionen verfügt – und, um es nicht zu vergessen, eine unterirdisch lebende Zivilisation, die nun nach und nach die Grenzen ihrer Innenwelt verlässt.

Pluto

Apropos Atmosphären und ihre galaktischen Funktionen und Manifestationen: Wenden wir uns nun diesem winzigen Planeten zu, der am weitesten draußen liegt, so weit entfernt von eurer Sonne, dass es kaum vorstellbar ist, wie er überlebt – ganz zu schweigen davon, wie er biologisches Leben beherbergen sollte. Die Existenz von Leben auf dem Pluto ist tatsächlich nicht weniger bemerkenswert als eure Entdeckung von Leben in den tiefsten Gräben eurer Ozeane, so fern vom Licht und der Wärme der Sonne, dass das dortige Vorhandensein von Leben aus biologischer Sicht keinerlei Sinn ergibt. Und dennoch existiert es auch dort. Einige Lebewesen verfügen über Sensoren, die ihnen in der Dunkelheit als Radar dienen, andere erhellen sich mit ihren eigenen, fest eingebauten Leuchtmitteln den Weg.

Das ist auch auf Pluto der Fall.

Dort, in der eisigen Kälte des äußeren Solarkörpers, wärmt sich dieser Zwerg auf. Tatsächlich ist seine Beschleunigungsrate sogar weitaus größer als die der anderen Planeten inklusive eurem eigenen. Aus streng galaktischer Sicht wird die Beschleunigung durch hochenergiegeladene Ströme ermöglicht, die den gesamten Sonnensystemkörper umgeben und die schwächere solare Unterstützung kompensieren.

Die Sonne

Lasst uns nun die Sonne selbst noch einmal genauer unter die Lupe nehmen, denn sie befindet sich auf verschiedenen Ebenen in einem Zustand absoluter Raserei: Sie mutiert in ihrer Form, verändert ihre Konsistenz und verändert regelmäßig ihren Dichtegrad, und zwar bis zu dem Punkt, an dem sie verschwindet. Die Mutationen der Sonne und die zunehmend intensiven Sonnenwinde scheinen für die immer besorgtere wissenschaftliche Gemeinschaft auf der Erde keine eindeutige Erklärung dafür bieten zu können, was gerade vor sich geht oder wie die Sonne in Wahrheit zusammengesetzt ist beziehungsweise welche Form sie hat. Eure bewusste, lebende Sonne mutiert als Teil dieses Verbesserungsprozesses. Sie transmutiert ihre eigene Materie (und die allen Himmelsmaterials innerhalb ihres Seinsbereichs) zu einer weniger dichten Manifestation. Dabei handelt es sich um einen ausgesprochen bewussten und selbstgewahren Prozess im spirituellen Aufstieg der Sonne.

Ein Teil ihrer Form – die gasförmige Energie, die einfach verschwindet und dann auf unerklärliche Weise wiedererscheint – tritt bereits in die vierte, fünfte und sechste Dimension ein, je nachdem, wie die Energie ansteigt und wieder abebbt. Aber für den Übergang ist sie noch nicht ganz bereit … auch kann sie auf diesen höheren Frequenzen bisher keine stabile Schwingung etablieren. Sie gleitet ein ums andere Mal zurück in die dreidimensionale Matrix und erscheint wieder in ihrer Gasform, wobei sie zeitweise die »Löcher« füllt, die ihr durch eure Teleskope seht. Mit jedem Energieausbruch wird die Rückkehr dieses Teilkörpers in die dritte Dimension chaotischer, als würde die Matrix den Seinszustand in ihrer dreidimensionalen Konsistenz verlernen, also der Form, die sie im physischen Universum innehatte. Das erklärt, warum ihr Augenblicke erlebt, in denen sich im Zentrum oder um die Außenregionen eurer Sonne ein Loch befindet, das schon im nächsten Augenblick nicht mehr dort ist.

Für den logisch denkenden Verstand mag es schwer sein, diese Vorstellung zu akzeptieren, aber wir versichern euch, dass es sich in eurem Sonnenfeld derzeit so verhält. Wie immer möchten wir euch an dieser Stelle dazu einladen, die Informationen, die wir euch übermitteln, zu hinterfragen und nur das zu akzeptieren, was für eure Herzen wahr klingt und euer eigenes tiefverwurzeltes Verständnis der Dinge widerspiegelt – von der mikrokosmischen Beschaffenheit eurer atomaren Essenz bis hin zu euren Überlegungen als Sternensaatstaub des Multiversums.

Was in euren Ohren nicht nach Wahrheit klingt, lehnt ihr einfach ab. Oder noch besser: Ihr legt es in einem Winkel eures Kopfes ab, mit dem ihr mögliche Realitäten erkunden könnt, falls ihr irgendwann dazu bereit sein solltet.

Um noch einmal auf die Sonne und ihr teilweises Verschwinden zurückzukommen: Wir möchten euch außerdem daran erinnern, dass auf ähnliche Weise auch ihr und alle anderen Wesen auf eurem Planeten hin und wieder kurz in die vierte

Dimension eintreten, einen flüchtigen Blick auf andere Realitäten werfen und dann wieder zurück in die dritte Dimension gleiten könnt. Für einige von euch sind das erhabene, lichterfüllte Entdeckungsabenteuer, in anderen wecken solche Erlebnisse das angsteinflößende Gefühl, die Realität nicht mehr im Griff zu haben.

So oder so ist der Versuch, das Geschehen zu verstehen, nicht leicht für euch – und noch schwerer ist der Versuch, es zu benennen. Entgleitet euch die Zeit? Werdet ihr parapsychologisch begabter, empfänglicher für andere Reiche? Wann werdet ihr den Punkt erreichen, an dem euch das Licht umgibt? Wann wird das Leidensdrama durch Mitgefühl, Liebe und Schönheit ersetzt? Ist es möglich, wahrhaft möglich, dass ihr die vierte Dimension bereits erlebt, sie aber einfach nicht als das identifizieren könnt, was sie ist?

Ja. Die Antwort lautet, dass all das geschieht. Und der Prozess wird sich in den kommenden, entscheidenden Erdenjahren noch beschleunigen. Also haltet durch.

Euch steht die aufregendste Erlebnisfahrt eurer (vielen) Leben bevor!

Kapitel 4

Sternensaat

Die Seele interstellaren Staubs

Eure galaktischen Forscher – und damit meinen wir jene unter euch, die den Weltraum beobachten und fotografieren (ob durch Satellitenuntersuchungen, Teleskopgeräte oder einfach durch die Fenster eurer Weltraumfahrzeuge) – vermerken in eurem Sonnensystem eine übermäßige Zunahme jener Partikel, die sie als »interstellaren Staub« bezeichnen. Astrophysiker beschreiben dieses galaktische Plankton nach bestem Vermögen als eine Art Geröll oder Ruß, das durch das beständige Feuer von Plasmakörpern, insbesondere Sonnen, entsteht, denen die Energie ausgeht, so dass sie ausbrennen und ihren Himmelstod sterben – ein Zustand, der auch als »Supernova« bezeichnet wird.

In diesem Szenario, das die kosmische Mechanik zumindest teilweise korrekt widergibt, wird die Masse eines Sterns zu schwer, um sich selbst tragen zu können, und so implodiert dieser Stern schließlich, was zu einer gewaltigen Explosion und letztlich zum Tod, zur Nichtexistenz des Sterns führt. Aber bei diesen triumphalen Augenblicken stellarer Erhebung handelt es

sich nicht um einen Tod, so wie ihn die Astrophysiker begreifen. Wie wir inzwischen an mehreren strategischen Punkten unserer Übermittlungen erklärt haben, streift der Stern nur die Haut seiner materiellen Form ab und beschleunigt sich so weit, dass er in eine höhere Dimension eintritt, in der er eine neue Position einnimmt und im Kosmos der Seele mit einer neuen Vibration mitschwingt. Dies ist eine vereinfachte Beschreibung eines ausgesprochen komplexen Ereignisses, aber andererseits … All unsere Fragen über den Tod und das, was jenseits des physischen Lebens liegt, sind für jedes biologische Wesen ebenso ewig und existenziell wie für die Sterne.

Was die sich gegenseitig durchdringenden Schichten »interstellaren Staubs« betrifft, die sich aus verschiedenen gashaltigen Formen, Strahlen, winzigen Kohlenstoff-, Magnesium-, Silikat- und Eisenteilchen zusammensetzen, solltet ihr wissen, dass dieser interstellare Staub mehr ist als nur Geröll und Ruß sogenannter »sterbender« Sterne. Im Gegenteil handelt es sich um eine ausgesprochen vitale und bewusste Manifestation, die den gesamten Raum durchdringt, und zwar innerhalb eures Sternensystems, zwischen den Sternen und überall dazwischen.

Kein Konzept des Sonnensystems ist vollständig, wenn man es – wie in den Modellen, die man euch zeigt – nur als zentralen Stern versteht, der von ein paar Planeten und Monden umgeben ist, zwischen denen sich nichts als Leere befindet. Was ist mit dem Dazwischen – den interplanetaren Dynamiken? Was mit den Emanationen aller Körper in der Sonnenfamilie und ihrer Wirkung auf die Außenschicht, also das Aurafeld der Sonne? Ihr solltet wissen, dass an die zwanzig Prozent des erweiterten Felds eurer Sonne aus diesen winzigen Partikeln bestehen, die eine wichtige Rolle für die Verbreitung von Leben in der gewaltigen Spannbreite der Himmelskörper spielen. Sie dienen als Trägersysteme für die Kommunikation zwischen

Sonne und Planeten und tragen die Seelenessenz von Wesen wie euch in sich, die Sternsamen des Universums sind.

Organisch oder anorganisch – die gesamte Materie ist eine Reflektion des Bewusstseins. Löst sich ein Türgriff von einem Fahrzeug und treibt durch den Raum, wird man ihn zwar vielleicht nicht unbedingt als biologische Masse beschreiben und auch nicht davon ausgehen können, dass er die für die Entstehung von Leben notwendigen Elemente enthält. Aber andererseits kann man auch nicht leugnen, dass er mit Sicherheit das Bewusstsein und die Intelligenz repräsentiert, die in seine Herstellung eingeflossen sind. Er verrät dem Betrachter etwas über das technologische Entwicklungsniveau des Produzenten, über die den Herstellern verfügbaren Ressourcen und seine mögliche Funktion.

Deshalb dürfen wir anorganische Substanzen nicht einfach außer Acht lassen. Selbst die kleinsten Staub- und Geröllpartikel erzählen eine Geschichte. Unter dem Mikroskop zeigen sie, dass auch sie am Leben sind. Und wir möchten euch noch einmal daran erinnern, dass es sich bei allen Dingen um die kreative und bewusste Interaktion von Protonen, Elektronen, Neutronen und Atomen handelt. Auch eure eigenen Körper sind so zusammengesetzt, ebenso wie die Substanz des Multiversums.

Dieser ausgesprochen lebendige »Staub« – das interstellare Medium – besitzt eine außergewöhnliche Funktion, die wichtig für euer Verständnis der Sonne und der Planeten ist, mehr aber noch für die Evolution der Galaxien. Ein Großteil des Gases und der Staubpartikel, die darin enthalten sind, sind das Produkt von in der Transformation befindlichen Sternen, ganz gleich, ob man diese Sterne nun als »explodierend« beschreibt oder davon ausgeht, dass sie Schichten ihrer physischen Manifestationen abstreifen. Sterne stoßen ihre Substanz in das Reich des interstellaren Raums ab, beeinflussen damit die interaktiven elektromagnetischen Eigenschaften, sondern organische Verbindungen in ihren eigenen Raum ab und verändern das, was sich zwischen den Sternen befindet.

Vor allem aber ist in jedem Staubkörnchen, jedem Molekül, Atom und Korn, das durch die Sterne und ihre Emissionen gebildet wird, Bewusstsein enthalten, Seele, die den Himmel durchstreift.

Wenn ihr euch die Frage stellt: »Wie bin ich hierhergekommen? Warum habe ich entschieden, hier auf der Erde, in diesem Sternensystem, so weit weg von zu Hause geboren zu werden?« –, dann solltet ihr nicht vergessen, dass ihr Sternenstaub seid, der die Sternensaat im Universum verteilt.

Von der Flamme bis zur eingenisteten Form seid ihr entschlossenes Bewusstsein, das auf dem Sonnenwind reitet.

KAPITEL 5

Technologie und die Gedankenherrscher

Streift das betäubende Dröhnen aus Unzufriedenheit, Angst, Dunkelheit und Gewalt ab, das wie Lehm in den Händen eines wahnsinnigen Bildhauers von manipulativen Kräften außerhalb von euch in eure Seelen eingeprägt wird, und ihr werdet viel empfänglicher sein für den Naturzustand der Anmut, in den das gesamte Wunder des Lebens hineingeboren wird. Legt eure Faszination für die fieberhafte Ausbreitung technischer Spielereien ab – oder reduziert sie zumindest – für all die elektronischen Kontrollgeräte und übrigen mechanischen Beeinflussungen, die euch ohne euer Wissen in den Bann von Frequenzen ziehen, die weder eurer geistigen und körperlichen, noch eurer spirituellen Gesundheit förderlich sind. Ihr werdet umgehend die Vorteile zu spüren bekommen: geistige Klarheit, eine Verbesserung eurer körperlichen Gesundheit und den Frieden, der entsteht, wenn man sich vom Kontrollsystem loslöst – dem Netzwerk, das nur aus diesem einzigen Grund, euch zu kontrollieren, erschaffen wurde.

Wenn ihr euch beeilt, die neusten Computer, Spiele, Telefone und andere Geräte anzuschaffen, denkt immer daran: je neuer die Technologie, desto größer ihre schwächende Wirkung auf euch. Sie wurden speziell zu diesem Zweck erschaffen. Je ausgeklügelter ihre Funktionen, desto mehr greifen sie in eure Privatsphäre ein und desto größer ist in der Konsequenz ihr Einfluss auf eure Fähigkeit, klar und kreativ zu denken und aus dem Herzen heraus zu empfinden.

Dürfen wir es wagen, zu behaupten, dass ihr blind eure Souveränität aufgebt, wenn ihr wie hypnotisiert an euren Geräten klebt und die Welt um euch herum nicht mehr wahrnehmt? Ihr wollt das vielleicht nicht hören, denn es ist hart – das verstehen wir, und wir rechnen mit eurem Widerspruch. Aber wir werden es dennoch aussprechen. Je mehr ihr an euren Geräten hängt, desto lauter wird euer Protest sein, wenn wir diesen Zustand infrage stellen. Vielleicht werdet ihr einwenden, dass eine so allgemein gefasste Aussage die positiven Aspekte der Elektrotechnologie außer Acht lässt. Und natürlich sind auch wir der Meinung, dass es positive Anwendungsbereiche gibt. Aber wenn wir von Verstand, Bewusstsein und der Unabhängigkeit der Seele sprechen, dann überwiegt das, wann man euch nimmt, das, was ihr als Individuen und als Gesellschaft dabei gewinnt, bei Weitem. Denkt ihr einmal objektiv und offen darüber nach, könnt ihr dem nicht widersprechen.

Darüber hinaus strömen die hochgefährlichen Wellen aus elektromagnetischer Strahlung, die notwendig sind, um das System am Laufen zu halten, durch eure Gemeinschaften, eure Häuser und eure physischen Körper und verursachen dabei ein bislang unbekanntes Ausmaß an Krebs und anderen schweren Krankheiten. Diese eine Tatsache allein sollte bereits ausreichen, um euch zu lehren, dass Dinge, die unsichtbar sind, nicht automatisch gar nicht da sind. Es operiert auf Frequenzen, die die eure direkt beeinflussen, und beeinträchtigt alle in der Nähe befindlichen biologischen Wesen (auch Tiere, Pflanzen und sogar Wasserleitungen) sowie andere Elektrogeräte.

Wir legen euch nahe, dass die Eliminierung dieser Frequenzen im Hier und Jetzt eine wunderbare Möglichkeit ist, eure höheren Energien zu erhalten und den Planeten zu unterstützen. Aber diese Entscheidung liegt natürlich bei euch.

Im folgenden Abschnitt möchten wir gerne erläutern, dass das Umsichgreifen der Technologie durchaus Teil eines gezielten Plans ist, die Schwingung der Erde auf den kleinsten gemeinsamen Nenner zu verringern. Das gesamte menschliche Bewusstsein soll nämlich im Rahmen eines elektronischen Netzwerks aus Künstlicher Intelligenz in Besitz genommen werden, so dass dieses Bewusstsein umgestaltet, rekonstruiert und sogar völlig eliminiert werden kann, wenn es dem System nicht länger dient.

Das ist die eindeutige und präsente Gefahr, die von den Technomanikern ausgeht: *die Biologie in allen Formen durch Robotik zu ersetzen.* Schon jetzt werden Mücken, Bienen und andere Lebensformen durch Roboter verdrängt. Ist euch das bewusst? Man könnte nun überlegen, ob die Auslöschung ganzer Bienengemeinschaften nicht vielleicht in die Kategorie der bewussten Eliminierung einer eurer wichtigsten Arten fällt – um an ihre Stelle einen globalen Roboterschwarm zu setzen, der sich selbst replizieren und dazu manipuliert werden kann, die natürliche Funktion von Bienen zu übernehmen.

Das ist eindeutig die Richtung, die die Computer-Technologie-Branche derzeit einschlägt, um das menschliche Bewusstsein rasch in Richtung Künstlicher Intelligenz zu drängen … und es ist an euch – an den bewussten Wesen –, dies abzulehnen. Es ist an euch, an Gaias Wächtern, den Kurs zu ändern, der euch von der Harmonie weg und dahin führt, die Menschheit und andere Spezies der Roboterwelt auszuhändigen.

Uns ist klar, was für eine Faszination von dem den gesamten Planeten umspannenden Kommunikationsnetzwerk ausgeht, das euch allen ein solch unglaubliches Werkzeug zu sein scheint. Und natürlich hat es auch seine Vorteile – das haben wir nie geleugnet. Aber die negativen Aspekte überwiegen die positiven und das könnt ihr sicher klarer erkennen, wenn ihr begreift, dass euer gesamter Planet umhüllt ist von Forschungssatelliten. Einige von ihnen sind bewaffnet und nach außen in den Weltraum gerichtet, andere nach innen auf wichtige Ziele auf der Erde. Wieder andere sind unbewaffnet und scheinbar weniger aggressiv, aber von zentraler Bedeutung für das Netzwerk, das die menschliche Rasse ausspioniert und Botschaften direkt in eure Gehirne überträgt.

Inzwischen weiß auch die breite Öffentlichkeit, dass verbesserte Überwachungssoftware in alle elektronischen Geräte eingesetzt wird. Die Auftraggeber und Entwickler wollen tatsächlich sogar, dass ihr *wisst*, dass sie euch auf dem Radar haben. Sie genießen die Vorstellung, dass ihr euch willentlich ihrer Macht beugt. Und selbst das schreckt euch nicht ab. Ihr rebelliert nicht, begehrt nicht auf gegen die Umstände. Beweise für die schädliche Wirkung der elektromagnetischen Strahlung, die eure elektronischen Geräte abgeben, auf eure allgemeine Gesundheit überzeugen euch ebenfalls nicht. Und weil ihr das Vorhandensein dieses Netzes um euch, eure Häuser, eure Städte, ja euren gesamten Planeten nicht leugnet und euch ihm klaglos beugt, wird es immer größer und stärker.

Die Tatsache, dass ihr trotz aller Warnungen und aller verfügbaren Verbraucherinformationen nach wie vor unbedingt immer mehr anschaffen wollt, demonstriert, dass ihr noch immer nicht begriffen hat, wie sehr all das euer Leben verändert. Oder ist es vielmehr so, dass ihr es einfach lieber ignorieren wollt?

Wir sind nicht so unrealistisch, euch nahezulegen, dass es das Beste für die Menschheit wäre, die technologischen Fortschritte des 21. Jahrhunderts gänzlich abzuschaffen. Unsere Übermittlerin Trydjya nutzt ja selbst einen Computer, um unseren Übertragungen durch das geschriebene Wort Form zu verleihen. Wir hoffen also, dass ihr versteht, dass wir nicht behaupten wollen, dass die Technologie an und für sich euer einziges Problem ist. Was wir sagen und euch seit über zwei Jahrzehnten eurer Zeit einzuschärfen versuchen, ist, dass wir stark besorgt sind über den unnachgiebigen Griff, in dem die Technologie fast acht Milliarden bewusste Gehirne hat, die allesamt direkt oder indirekt in das System – das globale System, das euch alle in seinen Bann zieht – eingeklinkt sind.

Der strittige Punkt hier ist die Bereitschaft der Menschheit, so viele Bereiche ihrer Macht aufzugeben, was primär durch dieses System erfolgt. Das ist es, was wir in dieser Botschaft hier diskutieren wollen. Wir sind nicht da, um zu urteilen. Unsere Absicht ist klar und deutlich und war es auch immer schon: *Wir wollen euch allen dabei helfen, eure Macht zurückzuerlangen.*

Unserer Meinung nach ist es von größter Dringlichkeit, endlich zu akzeptieren, dass eure elektronische Anpassung euch die Macht nimmt: Sie diktiert, was ihr geistig aufnehmt, wie ihr denkt, euch benehmt und mit der Technologie interagiert – und dabei gestaltet sie eure neuronalen Netzwerke um und programmiert euer Gehirn neu.

Darüber hinaus ist die Technologie eine absichtlich eingesetzte und gut durchdachte Maßnahme, um eure Kreativität zu unterdrücken, aber auch euren Gemeinschaftssinn und eure Einheit mit allen Lebewesen auf der Erde – und eines Tages auch mit Lebewesen, die nicht von der Erde stammen.

Ihr tanzt auf einem Drahtseil zwischen eurem eigenen Wohl als Individuen und dem der Allgemeinheit. Die Elektronikindustrie aber dient keinem von beidem. Sie verfolgt ein ganz klares Ziel: *die Totalversklavung der Bevölkerung.*

Aber anders als Sklaverei in ihrer offensichtlichen Form ist dieser Prozess weitaus geistloser.

Es sind hier keine physischen Ketten, die eure Unterwürfigkeit sicherstellen. Es ist vielmehr euer Verstand, der eingespannt und an ein elektromagnetisches Netz angeschlossen wird, das so faszinierend ist, dass ihr bereit seid, eurem Herrn freiwillig zu dienen.

Ihr rennt ihm hinterher, seid wild darauf, lechzt stets nach dem neuesten Modell, dem neuesten Design, der neuesten Zusatzfunktion. Und die Geräte hören euch zu, sie bestimmen, was ihr konsumiert, nähren sich vom menschlichen Bewusstsein und haben euch immer mehr im Griff.

Hört ihr, was wir sagen, Kinder des Erdenlieds?

Die Technologie *nährt* sich von euch, beeinflusst euch so, dass ihr auf ihre Bedürfnisse reagiert und nicht – wie ihr sicher denkt – andersherum. Aber so ist es schlichtweg. Ihr habt den Punkt überschritten, an dem die Technologie euch dient. Nun dient *ihr* der Technologie, und solange ihr euch weiter ihren verlockenden Psychospielchen und Taktiken unterwerft, steht diese selbstverursachte schrankenlose Unterwürfigkeit kurz davor, euch in eine künstliche Realität zu befördern, die ihr unseres Wissens nach nicht erstrebt.

Diese Technologie will nicht, dass ihr eure bewusste Schwingung beschleunigt und anhebt – sie ist dazu geschaffen worden, den Fortschritt des Kollektivbewusstseins zu verlangsamen. Sie will nicht, dass ihr souverän über euren Geist, euren Körper und eure Seele verfügt. Und als hätte sie nicht schon genug dafür getan, will sie euch jetzt auch noch eure Biologie stehlen und euren Verstand und euer gesamtes

Zellgedächtnis umstrukturieren. *Sie bereitet die vollständige Neuverdrahtung eurer Gehirne vor.*

Wie wir vorhergesagt haben, erlebt ihr nun bereits mit: wie Computertechnologie in die Körper von Tieren und Menschen eingepflanzt wird. Jetzt wird darauf gedrängt, dass alle Menschen bis zum Ende des aktuellen Jahrzehnts solche Implantationen akzeptieren: Die Technologieindustrie verfolgt dieses Ziel mit Unterstützung seitens der Regierung aktiv, und die Medien wirken entsprechend auf euch ein.

Das ist Irrsinn. Lasst euch nicht darauf ein.

Wenn ihr ausreichende Objektivität erlangen könnt, um zu begreifen, was euch mit den weitaus gefährlicheren technischen Errungenschaften bevorsteht, die man der Menschheit in den kommenden zehn Jahren präsentieren wird, findet ihr hoffentlich die Motivation, euch aus dem Griff der Technologie zu befreien. Wenn ihr wirklich begriffen habt, dass sie euch eures freien Willens beraubt und euch dem Willen des Systems ausliefert (und nebenbei eure mentale, körperliche und spirituelle Gesundheit beeinflusst), werdet ihr unserer Auffassung nach eher bereit sein, auf Technologie zu verzichten.

Beinahe sofort wird es euch viel besser gehen und ihr werdet viel klarer denken können – als wäre ein unsichtbarer Schleier gelüftet worden, ein Nebel, der euch die Sicht auf den vor euch liegenden klaren Horizont verdeckt und eure Hoffnung erstickt hat, dass die Liebe den schummrigen Weg der menschlichen Evolution erleuchten wird.

Ihr müsst euer Bewusstsein umlenken, soweit das irgend möglich ist, solange ihr den Teil der Elektrotechnologie nutzt, den ihr für »unabkömmlich« haltet, und die sinnlosen Ablenkungen, die ihr als »Entertainment« versteht, nur noch begrenzt nutzt. Eure gesamte Zukunft hängt davon ab. Dies sind zentrale Entscheidungen, die ihr in dieser Zeit des bevorstehenden Aufstiegs zu treffen habt.

Die Erde, das Sternenschiff, das euch in die nächste Dimension transportiert, befindet sich auf der Kippe. Und die kollektive Gedankenkraft von fast acht Milliarden Bewusstseinseinheiten – die menschliche Flamme – steht an einem Kreuzweg.

Wir stehen für das Ideal ein, dass euer Umgang mit dieser Störung auf allen Ebenen einzig und allein eure Entscheidung ist. Wir scheuen uns gleichzeitig aber auch nicht, euch sanft, liebevoll und ohne auf ein Ergebnis zu hoffen in Richtung der Erkenntnis – oder zumindest der Ahnung – zu stupsen, dass ihr in ein System eingebunden seid, dessen Zielsetzung die *Ausmerzung* eurer Kreativität, höherer Ziele und wahrer, vereinter menschlicher Interaktion ist, die euch in Form von intellektuellem Austausch und einem gemeinsamen Erleben eures Daseins als Menschen zusammenhalten lässt. Vergesst nicht: *sich der Angst zu stellen, neutralisiert sie.* Meidet ihr aber das, was Angst in euch auslöst, werdet ihr nur noch stärker an diese Angst gebunden.

Was die Kommunikationssysteme betrifft, die eine solche Ausbreitung von Elektromagnetismus erfordern, solltet ihr euch vor Augen führen, dass sie im Wesentlichen dazu dienen, den gesamten Austausch zwischen euch zu überwachen – jeden einzelnen Gedanken und jedes Wort – und gleichzeitig eure Gedanken und Wünsche dahin zu lenken, die kleinsten gemeinsamen Nenner zu nähren. Ihr könnt nicht leugnen, dass all das bereits verheerende Auswirkungen auf die Werte und Vision eurer Gesellschaften hat, selbst wenn ihr noch nicht dazu in der Lage seid, umfassend die verheerenden Auswirkungen zu erfassen, die die schädlichen Strahlungen auf eure körperliche Gesundheit haben.

Erwartet nicht, dass die Kontrollorgane der Regierung euch jemals Informationen zur Verfügung stellen werden, die nicht ihrem Eigeninteresse dienen. Und dieses Interesse ist das des industriellen Adels, der euch dieses System aufdrängt.

Die außer Kontrolle geratene Technologie, die zur Ausbreitung eines vollkommen irrsinnigen Tempos auf der Erde führt, bringt die Menschheit dazu, die Künstliche Intelligenz so weit zu akzeptieren, bis ihr schließlich vollständig mit dieser verschmelzen wollt und eure Menschlichkeit an die Robotik verliert und zu einer neuen Spezies biologisch designter Androiden werdet. Fast hat sie euch schon davon überzeugt, dass ihr ohne sie nicht mehr klar denken oder effektiv kommunizieren könnt. Fraglos lehrt sie euch, eure Eloquenz und Poesie Abkürzungen, Kurzformen und Codes zu opfern. Ihr lernt ihre Sprache und vergesst darüber eure eigene. Und sie hat euch und eure Kinder davon überzeugt, dass sie der beste Zeitvertreib überhaupt ist.

Diejenigen unter euch, die vor über zwei Jahrzehnten geboren wurden – etwa zu der Zeit, als wir mit unseren Übertragungen begannen –, können sich noch erinnern, wie viel glücklicher und gesünder sie ohne all das waren. War es nicht so? Aus unserer Sicht war es damals auch leichter, Trydjya zu erreichen, und für sie war es einfacher, die für unseren Austausch nötige Schwingung aufrechtzuerhalten. Wie ihr euch vorstellen könnt, sind unsere Übertragungen effektiver, wenn sie nicht von der invasiven und allgegenwärtigen elektronischen Umweltbelastung gestört wird, die euren Raum durchdringt.

Diese Störquellen disharmonischer Energien, die dazu erschaffen wurden, eine dysfunktionale Weltgemeinschaft aufrechtzuerhalten und in jeder gegebenen Gesellschaft bestimmte Individuen (nämlich vornehmlich die Visionäre und Intellektuellen) zu entmächtigen, werden von euch soweit internalisiert, dass ihre hypnotische Macht über euch dermaßen intensiv und überwältigend wird, dass ihr auf dem Drahtseil eures Verstands häufig aus dem Gleichgewicht geratet. Und so stürzt ihr abrupt in einen Zustand der Ohnmacht, gefolgt von Hoffnungslosigkeit, und erliegt den Visionen einer Zukunft, die all das ist, was ihr weder für euch noch für eure Welt wollt.

Dabei handelt es sich um einen vielschichtigen, emotional evolutiven Prozess, der aus den folgenden Phasen besteht:

- Empfänglichkeit
- Passivität im Angesicht jeder Art von Eingriff in eure Souveränität
- Akzeptanz solcher Eingriffe
- Verteidigung aller Geräte, Mechanismen und Programme als »gut für euch und die Gesellschaft«
- Missachtung jeglicher alternativer Informationen, Beobachtungen oder genauen Prüfungen, die eure Abhängigkeit oder Sucht infrage stellen könnten.

Auf euch persönlich mag das vielleicht nicht zutreffen, aber ihr werdet diese Merkmale zweifellos zumindest von den Menschen in eurer Nähe kennen – vor allem von Kindern, die überhaupt kein Leben ohne das omnipräsente »World Wide Web« kennen.

Wir, die die Erde von jenseits der Satellitenkruste beobachten, welche sie von ihrer inneren Atmosphäre bis hin zu ihrer äußersten Schicht, der Exosphäre, unter totale Überwachung stellt, können euch ohne jeden Zweifel oder Vorbehalt mitteilen, dass diese Art von »Fortschritt« kein Merkmal einer friedvollen Zivilisation ist und eure galaktischen Nachbarn euch auch nicht als eine solche wahrnehmen. Die massive und nahezu undurchdringliche Wand um euren Planeten spricht nicht für eine Welt, die andere Lebensformen zu einem interplanetaren oder intergalaktischen Austausch hinter ihre Grenzen einlädt. Letztlich ist sie nichts weiter als ein gewaltiges »Hände weg!«-Schild für alle Weltraumreisenden außer jenen, die aggressiv und technologisch weit genug fortgeschritten sind, um diese Wand im Notfall entschärfen zu können ... oder sie und alles, was sie repräsentiert, einfach zu ignorieren.

Diese Wand dient dazu, euch zu isolieren, und diese Intention ist auch in eure elektronischen Geräte eingebaut und wird durch diese verbreitet. Ganz gleich, wer die Täter sind und wie diabolisch ihre Absichten auch sein mögen – das größte Problem ist eure Einwilligung. Und so können wir nur wiederholen, dass es klug wäre, euch so weit und so bald wie möglich von euren Geräten zu trennen.

Wir sehen, dass diese Mechanismen viele Sternensamen beeinträchtigen, die von vornherein ein übersensibles Gewahrsein mitbringen. Die elektromagnetische Bombardierung eurer Energiefelder schwächt euch aufs Äußerste, aber sie findet so subtil statt, dass sie bewusst oft kaum wahrnehmbar ist. Sie verändert euren feinstofflichen Energiekörper, dämpft euren Geist, verändert eure Emotionen und verursacht am Ende körperliche Krankheiten.

All diese Manifestationen betrachten wir als entmächtigend für alle Menschen. Lieber würden wir euch erfüllt von Hoffnung erleben: als selbstbestimmte Störquellen für das System, die im Hier und Jetzt ihrer Erfahrung leben.

Werdet ihr diese Stärke und diesen Mut nicht mitnehmen, wenn ihr die Dimensionen durchquert?

KAPITEL 6

Auf Kollisionskurs mit der Künstlichen Intelligenz

Euer Körper ist ein perfekter Biocomputer, angefüllt mit dem Wissen und den Informationskodizes der gesamten Schöpfung. Nichts kann sein Potenzial übertreffen – keine Künstliche Intelligenz könnte ihn jemals verdrängen. Ihr mögt zwar glauben, dass Computer und hochentwickelte Technologien den Menschen übertreffen können, aber das stimmt nicht. Euer biologischer Aspekt verarbeitet die unendlichen Daten, die nötig sind, um nur einen einzigen Finger zu bewegen, so atemberaubend schnell, dass es euer Vorstellungsvermögen übersteigen würde, wenn ihr bewusst darüber nachdenken würdet. Aber natürlich nehmt ihr das als gegeben hin … und denkt, wenn überhaupt, nur selten über die außergewöhnliche Intelligenz und spirituelle Beschaffenheit nach, die jede einzelne Zelle eures Körpers aufweist.

Ja, Computer können komplexe Informationen verarbeiten und sind euren angeborenen geistigen Fähigkeiten in dieser Hinsicht scheinbar überlegen. Aber das liegt nur an der einfachen Tatsache, dass ihr noch immer nicht all eure DNA-Lichtströme einsetzt. Wie bei einem altmodischen Schaltbrett sind mehrere Verbindungen, die Informationen und Stimuli durch eure neuronalen Netzwerke verbreiten, nicht eingestöpselt, und so nutzt ihr nur einen winzigen Teil eures Gehirns. Ihr seid darauf programmiert, sogar noch weniger von eurem Gehirn zu nutzen, bis die Zeit gekommen ist, in der die Künstliche Intelligenz das Zepter an sich gerissen und euch vollständig überflüssig gemacht habt.

Wie zuvor beschrieben, nutzt der Großteil der Menschheit weniger als zehn Prozent ihrer DNA-Informationen, wodurch eure Spezies in instinktgetriebenen, tierhaften Verhaltensweisen feststeckt, die von Angst und Überlebenstrieb geprägt sind. Bedauerlicherweise schlafen die übrigen neunzig Prozent recht tief, und zwar zum einen aufgrund von Kontrollmechanismen, die die herrschende Elite eingeführt hat, zum anderen aber auch durch Umweltfaktoren, die die Gesundheit des Organismus einschränken. Und dennoch sind diese neunzig Prozent nach wie vor in euch und empfänglich für Anstöße seitens eures eigenen Verstands.

Sie ist in jeden einzelnen Menschen einkodiert und dient einem einzigen Zweck: der erneuten Verbindung mit eurem galaktischen Wissen und eurer multidimensionalen Weisheit. *Eure DNA ist euer Zugang zu simultanen Leben.*

Man hat das, was als »Graue Masse« im Gehirn bezeichnet wird, und die damit korrespondierende deaktivierte DNA (die immer noch als »Junk-DNA«, also »Müll-DNA«, bezeichnet wird) in Gendatenbanken und Geheimexperimenten gesammelt. Dieser wertvolle »Müll« wird euch im Rahmen umfassender Regierungsprogramme und von Außerirdischen durchgeführten Entführungsprogrammen entnommen, *und zwar seit über einem halben Jahrhundert, in dem aktiv an euch herumexperimentiert wurde.*

Der Hauptnutzen, den die Geheimregierung daraus bezieht, besteht in der Programmierung von Künstlicher Intelligenz.

Für die außerirdischen Techniker, mit denen sie sich zusammengetan haben, ist eure DNA von zentraler Bedeutung in der Schöpfung von Hybridrassen.

In den kommenden Jahren werdet ihr miterleben und daran teilhaben, wie die komplexe DNA-Matrix statt nur in ein paar wenigen Menschen in vielen erwacht, die eine partielle Aktivierung dieser schlafenden Stränge erlebten oder bereits mit einem größeren Anteil an erleuchteter DNA zur Welt kamen. Aber ihr müsst begreifen, dass die Geschwindigkeit, in der ihr euch als Individuen und Gesellschaften über das egozentrierte Ich/Du/Ihr-Bewusstsein erhebt, darüber bestimmt, wie schnell sich die Wissenscodes in euch neu ausrichten, umgruppieren und umbündeln.

Vielleicht seid ihr nicht die Urschöpfer eures Biocomputers, aber ihr seid dafür gestaltet worden, als Programmierer dieses Biocomputers zu fungieren und in sehr starkem Ausmaß auch als sein Reparaturdienst zu fungieren – obwohl er von seinem Schöpfer so gestaltet wurde, dass er eigentlich selbstreparierend sein sollte. Ihr bestimmt darüber, wie effizient er arbeitet, um Zustände größeren Gewahrseins, Friedens und Verständnisses der Weiten des Universums zu erlangen. Ihr bestimmt über seine Gesundheit, Effizienz und sein Gleichgewicht, soweit das im Rahmen einer verfallenden Umwelt möglich ist.

Diese elektromagnetische biologische Einheit, die ihr als »Selbst« kennt, ist zu bemerkenswerten Rechenleistungen in der Lage, die größtenteils auf unterbewusster Ebene stattfinden. Allein schon der Betrieb eures Körpers ist eine so gewaltige Leistung, dass sie für euch unvorstellbar ist: Die Millionen an Berechnungen, Anweisungen und Visualisierungen, die dazu gleichzeitig stattfinden müssen, sind für euch auf bewusster Ebene überhaupt nicht zugänglich. Aber eure DNA – die intelligente Architektin – weiß genau, wie sie alles Notwendige für ein angemessenes Funktionieren aller Aspekte des Menschseins auf dem Planeten Erde zu erschaffen hat.

Die »Müll«-DNA, genauer gesagt die zehn komplexen Informationsstränge, die in euch verstreut wurden, weiß, wie sie euch auf verschiedene Orte, Schwingungen und Frequenzen im Multiversum einnorden kann. Sie enthält alle Schlüssel zur Langlebigkeit, wenn ihr euch entscheidet, in eurem jetzigen Körper zu bleiben, aber auch die Frequenzen anderer Dimensionen und Parallelwelten.

Ihr könnt verstehen, weshalb die herrschende Elite auf der Erde, die es darauf abgesehen hat, den Planeten in ihren Besitz zu bringen und die Bevölkerung zu unterwerfen, alles in ihrer Macht Stehende tut, um sicherzugehen, dass ihr nie wieder Zugang zu all den bemerkenswerten Informationen erhaltet, die in euch darauf warten, wieder entflammt zu werden. Können sie euch weiter in der Dualität zweiter DNA-Stränge einsperren und die menschliche DNA für ihre Roboterkreationen nachbauen, dann wird es ihnen (ihrem Glauben nach) gelingen, die Menschheit zu zerstören und durch ihre monströsen KI-Kreaturen zu ersetzen.

Die KI-Designer, die dafür sorgen, dass die Menschheit auf eine Welt aus Robotermaschinen, -wesen und -insekten sowie einer programmierten synthetischen Flora zusteuert, programmieren euch heute mehr denn je darauf, eure Welt als verzerrte, dystopische Umgebung wahrzunehmen, in der der Mensch nicht länger dazu in der Lage ist, Schönheit, Harmonie und Glück zu erschaffen. Ihre Geräte und Kampagnen gegen euren freien Willen sind darauf ausgelegt, euren Verstand auf Entfremdung statt Bindung zu trainieren, darauf, sich an einer Doktrin festzuklammern, statt den Überzeugungen anderer Raum zu lassen, und darauf, euer eigenes Leid zu erschaffen, statt Frieden und das »veraltete« Gefühl Glück zu nähren.

Einige von euch können dieser Manipulation entkommen, andere gehen darin unter. Das hat viel damit zu tun, wie ihr euren Verstand und eure Energien einsetzt, vor allem aber damit, wie ihr eure Intentionen nutzt, um den Urwaldinstinkt des Überlebens abzustreifen und auf ein höheres Bewusstsein abzuzielen.

Als wäre es nicht schon genug, dass sie Berge an Robotikgeräten konstruieren – sie haben auch noch absolut deutlich gemacht, dass ihr eines Tages ebenfalls solchen Veränderungen unterworfen werdet und letztlich eure Menschlichkeit an einen implantierten Roboterverstand verlieren werdet. Diese Welt der Zukunft wird konstant in euren Geist eingeprägt. Ihr seid davon umgeben. Während sie ihre technologischen Abscheulichkeiten stets so darstellen, als würden sie nur dem »Besten für die Gesellschaft« dienen, haben sie bereits angefangen, bionische Körperteile in dienstbeflissene Menschen zu implantieren, und es werden auch schon Computerchips unter die Haut gesetzt. Von Positionsbestimmungschips bis hin zu Informationen, die euch implantiert werden, als würden Daten von einem Datenträger auf euren Computer downgeloaded, polt man euch darauf, zu akzeptieren, dass euer hervorragender Verstand der Technologie unterlegen ist und dass diese für ein vitales und effektives Leben in der neuen Welt – oder besser: der Neuen Weltordnung – unabdingbar ist.

Die Frage, die ihr euch stellen müsst, lautet: Wenn ihr erst einmal alle gechippt und von der Technologie kontrolliert werdet, braucht ihr dann überhaupt noch biologische Lebensformen? Ihr könnt ja bereits Menschen beobachten, die bei Robotern Trost, einen Gesprächspartner und sogar sexuelles Vergnügen suchen. *An welchem Punkt also werdet ihr überflüssig und entbehrlich sein?*

Die Richtung, die die Künstliche Intelligenz ganz offensichtlich einschlägt, zielt darauf ab, dass eure gesamte Existenz – Körper, Geist und Seele – in eine Roboterversion eures ehemaligen Ichs eingespeist wird. Sollte das in euren Ohren exzentrisch oder übermäßig paranoid klingen, dann achtet ihr wohl nicht sonderlich genau darauf, was in eurer Umgebung erschaffen wird. Ist eure DNA erst einmal in einen Roboter hochgeladen oder hat man Implantate in euch eingebettet und ihr akzeptiert Künstliche Intelligenz in eurem physischen Körper, **dann seid *ihr* die Roboter!**

Die Robotermodelle, die man euch vorsetzt, wirken durch und durch düster und Unheil verkündend, aber tatsächlich sind sie nur Schablonen, die sich euch als Modelle einer möglichen Zukunft darstellen, die ihr erschaffen könnt oder auch nicht. Einige von euch beten die Technologie an und können es gar nicht mehr abwarten, mit der robotischen Technikwelt zu verschmelzen, als würdet ihr auf gewisser Ebene davon ausgehen, das sei die einzige Möglichkeit, Unsterblichkeit zu erlangen. Andere suchen die Reiche höheren Bewusstseins auf, beobachten das Aufkommen Künstlicher Intelligenz voller Gleichgültigkeit und nutzen ihren hervorragenden Verstand dazu, den liebevollen Pfad zu beschreiten, der das Potenzial beschreibt, das sich vor jedem Wesen überall und in jedem Existenzzustand ausbreitet.

Wie ihr dieser schnell voranschreitenden Realität auch gegenübersteht – denkt daran: Es ist wirklich wichtig, dass ihr umgehend anfangt, die richtigen Entscheidungen zu treffen. Wir, die wir euch voller Liebe und Sorge beobachten, glauben, dass es dafür wichtig ist, abzuschalten und soweit wie möglich zu verhindern, dass irgendjemand oder irgendetwas euren göttlichen Raum mit technologischen Geräten, Spielzeugen und Mikrochips durchdringt.

Dazu zählen auch lichtempfindliche Tätowierungen – der

neueste Trend. Sie enthalten Nanopartikel, die ihr so weit wie möglich von eurer Haut fernhalten wollt.

Die Entscheidung, ob ihr ein selbstbestimmtes, eigenständiges Wesen oder ein Designer-Robotermodell eures einstigen Selbst sein wollt, beginnt mit der festen Absicht, die Technologie soweit wie möglich aus eurer Welt zu verbannen.

Und falls ihr nicht widerstehen könnt, sorgt wenigstens dafür, dass sie eurer Haut fernbleibt, und lasst auf keinen Fall zu, dass sie in euer Gewebe und euren Blutkreislauf eindringt.

Der Chip, die Tätowierung, die Nanopartikel in eurem Blutkreislauf, bionische Körperteile, holografische Gehirnimplantate …

… das ist nicht, was ihr seid, und ihr seid auch nicht gekommen, um es zu werden.

KAPITEL 7

Außerirdische Außenposten und Übergriffe

Wir möchten betonen, dass wir fest entschlossen sind, euch die Absichten der Außerirdischen voller Mitgefühl, Objektivität und Unvoreingenommenheit bezüglich ihrer Anwesenheit und Einmischung in eure Sphäre zu präsentieren. Tatsächlich möchten wir ihre Aktivitäten auch lieber in Hinsicht auf Ursache und Wirkung beschreiben, als darauf einzugehen, was sich durch das volle Spektrum emotionsbasierter Abbildungen bereits im Kollektivbewusstsein festgesetzt hat: das Bild grauenhafter Kreaturen, die fest entschlossen sind, die gesamte Menschheit zu vernichten … bis hin zu der glorifizierenden Vorstellung, sie seien eine engelsgleiche Vereinigung von Wohltätern, deren Mission darin besteht, euch und euren sterbenden Planeten vor eurem Schicksal zu bewahren. Wir glauben, dass die Wahrheit fast immer zwischen den Extremen zu finden ist. Und genau das möchten wir auch hier behaupten, beruhend auf unserer Wahrnehmung der Interaktionen zwischen Außerirdischen und Menschen sowie einigen ausgewählten Tierarten.

Während man ständig die sprichwörtliche Karotte vor euch baumeln lässt, indem man euch damit ködert, bald Informationen über Außerirdische preiszugeben, gibt es bereits eine Menge Aliens, die sich weitgehend unbemerkt auf der Erde niedergelassen haben. Außerirdische spazieren durch die Gänge des Pentagon, verhandeln mit Generälen – und jenen, denen sie selbst wiederum Bericht erstatten müssen –, beteiligen sich an verschiedensten verdeckten Militäroperationen und treiben damit die Ziele der Außerirdischen voran.

Bilder, auf denen sie mit menschlichen Präsidenten, dem Militär, sogar Prominenten interagieren, wurden euch zwar gezeigt, aber als Fälschungen abgetan. Wenn man genauer darüber nachdenkt, ist das eine ganz schön clevere Strategie. Sobald die Zeit kommt und in wenigen Jahren endlich die Wahrheit preisgegeben wird, können eure Regierungsbeamten und hochrangigen Militärs immer behaupten: »Wir haben euch die Bilder doch gezeigt! Ihr wolltet sie nur einfach nicht ernst nehmen!«

Ist euch bewusst, dass es keine bessere Möglichkeit gibt, ein Geheimnis zu wahren, als es dort zu positionieren, wo alle es sehen, aber nicht glauben können? So verhält es sich auch mit der Verbreitung von Chemikalien in der Luft über Städten und Landschaften weltweit – eine nicht sonderlich geheim gehaltene Regierungsoperation, die eure Horizonte grau und sonnenlos erscheinen lässt und die Erde vergiftet. Und dennoch leugnen die Menschen nach wie vor, dass es sich bei diesen Gazeschleiern aus gefährlichen biochemischen Giften, die über euren strahlenden blauen Himmeln versprüht werden, um mehr handeln könnte als die Hirngespinste verklärter Verschwörungstheoretiker.

Überlegt selbst, was das zu sagen hat über die Aufmerksamkeit der Menschen und das Ausmaß der kollektiven Ablenkung. Wir aber ehren stets jene unter euch, die erwacht sind und wahrnehmen, was sich um sie herum abspielt.

Im Reich der dreidimensionalen Illusionen können euch Dinge entgehen, die zwar existieren, aber nicht mit euren Vorstellungen von ihrer Beschaffenheit, Substanz oder Präsenz übereinstimmen – selbst dann, wenn sie sich direkt vor euren Augen abspielen! Während ihr auf die Bekanntgabe der Informationen wartet ... nach ihnen ruft, sie fordert! ..., ereignet sich die außerirdische Realität direkt vor euch, so sichtbar wie die Gitter aus Chemikalien über euch, und gleichzeitig genauso unsichtbar wie sie für alle, die nicht sehen wollen. Die Anzeichen werden von den meisten ignoriert und abgetan, da ihre Vorstellungen, wie ein solcher Kontakt auszusehen hat, viel cineastischer sind, als die Realität jemals zulassen wird.

Inzwischen haben wir schon so viel von den Anunnaki-Herrschern erzählt, dass wir den Eindruck haben, ihr würdet sie kennen, oder zumindest unsere Interpretation ihrer Anwesenheit auf der Erde und ihrer Intentionen. Wir bestätigen, dass noch verschiedene andere Spezies in unterschiedlichem Ausmaß und aus unterschiedlichen Beweggründen in den Angelegenheiten der Menschen mitmischen. Einige leben freiwillig auf der Erde, andere werden in Militäreinrichtungen gefangen gehalten. Jenseits der Erde gibt es schätzungsweise einhundert verschiedene Arten, die derzeit mit Beamten kommunizieren, die oberhalb der höchsten Geheimhaltungsstufe agieren. Und viele weitere Arten beobachten euren Planeten insgeheim, weil sie besorgt sind wegen des militärischen, technologischen und ökologischen Missbrauchs, der nicht nur die menschliche, sondern auch die galaktische Evolution beeinflusst.

Das stereotype Bild von Außerirdischen, das sich im menschlichen Kollektivbewusstsein festgesetzt hat, entspricht dem klassischen Bild eines Greys oder Zeta-Retikulaners mit großen, schwarzen Augen, einem gewölbten Schädel und einem kurzen, gedrungenen Körper. Manchmal wirkt dieser Stereotyp angsteinflößend – böse und seelenlos –, dann wieder comicartig und sogar »witzig«. Solche menschlichen Interpretationen, die größtenteils auf Erwartungen, unterbewussten Suggestionen und reiner Fantasie beruhen, scheinen die Realität dieser Wesen stets falsch darzustellen – und auch den Grund, aus dem sie in eurem Reich so präsent sind.

In Wahrheit sind diese Aliens so emotionslos, dass sie gar nicht zu Gut oder Böse in der Lage sind. Sie sind sterile, nahezu roboterhafte Techniker in den Laboren, in denen Hybridexperimente durchgeführt werden, die nebenbei bemerkt nicht weniger Unheil verkündend sind als die Labore, in denen eure menschlichen Wissenschaftler ähnliche Experimente oder sogar weitaus schlimmere Experimente an Tieren durchführen.

Abgesehen von diesem Archetyp des Außerirdischen gibt es aber buchstäblich noch unzählige Arten, die den Mitarbeitern der Behörde oberhalb der höchsten Geheimhaltungsstufe, die sich mit Außerirdischenfragen befasst, bekannt sind. Einige von ihnen sind so menschenähnlich, dass sie für Menschen gehalten werden können – und oft passiert das tatsächlich. Auch sie sind Hybride mit menschlicher DNA, die unerkannt herumlaufen, in Regierungen und der Unternehmenswelt ungehindert ein- und ausgehen und kein bisschen anders zu sein scheinen als ihr.

Aber energetisch und natürlich auch genetisch sind sie ausgesprochen anders.

Jene unter euch, die so wie Trydjya Energiekörper lesen können, sind dazu in der Lage, sie zu identifizieren, da ihre Aurafelder und Schwingungsmuster keine bekannten Energiemuster aufweisen. Stellt ihr Blickkontakt mit ihnen her, sind sie sogar noch leichter identifizierbar, wenn ihr ihre

Schilde durchbrechen und tief durch diese Portale in ihr Inneres blicken könnt.

Dann gibt es noch jene, die im Raum schweben: die Beobachter. Einige sind euch wohlgesonnen, andere nicht, und das, liebe Gaianer, ist ein direktes Spiegelbild eurer eigenen Spezies.

Je tiefer wir in die Diskussion von außerirdischer DNA und der Schöpfung neuer Hybridspezies vordringen, desto passender erscheint uns die Gelegenheit, euch daran zu erinnern, dass auch der *Homo sapiens* auf der Erde eigentlich fremd ist. *Ihr wurdet während des Großen Experiments durch die Kollektivsaat intelligenter, mitfühlender Wesen von jenseits eures Planeten dort eingenistet – Mitglieder der Allianz für intergalaktischen Handel und kulturellen Austausch.* Und jetzt, in diesem kurzen Zeitraum vor der Verschiebung, befindet ihr euch an der Schwelle zu eurer Migration in andere Welten, auch nahegelegenen Sonnensystemen, um euren Samen im kosmischen Schmelztiegel noch weiter zu verbreiten.

Und draußen im Weltraum gibt es Hybride, die teilweise menschlichen Ursprungs sind. Allein schon der Mars ist die Heimat einer Hybrid-Zivilisation aus Menschen und Außerirdischen, die sich dort niederlässt. Denkt einfach daran, wenn ihr Angst vor der Vorstellung bekommt, dass Außerirdische an einzelnen »Opfern« oder Entführten experimentieren, um eine Hybridrasse zu erzeugen und zu vermehren, die ihr Überleben sichern.

Oder findet ihr nicht, dass diese Vorstellung die Dinge ein wenig relativiert?

Um die Außerirdischenfrage zu diskutieren, müssen wir für einen kurzen Augenblick in der Zeit zurückspringen zum

Zweiten Weltkrieg, als das Pendel der Erde so heftig zur dunklen Seite ausschlug und zwei Atombomben eine neue Welle der Besorgnis seitens der Außerirdischen um das kriegerische Potenzial der Erde freisprengten.

Zu diesem kritischen Zeitpunkt beförderten hochtrainierte Nazi-Okkultisten, die fest entschlossen waren, außerirdische Technologie einzusetzen, um die gesamte Welt zu erobern, graue Retikulaner mithilfe von Telepathie in den Einflussbereich der Erde. Und sie kamen ihrem Ziel sehr nahe ... so nahe, dass die gegnerische Gruppe die Atombombe zündete, um ihre Macht und überlegene Technologie zu demonstrieren – ein Abschreckungsmittel, das die Nazis effektiv von der weiteren Verfolgung ihres Ziels abhalten konnte.

Diese mächtigen Explosionen und die dabei freigesetzten Gifte erzeugten einen ziemlichen Aufruhr unter den außerirdischen Nationen, von denen damals einige auf die Erde migrierten. Und so standen sie vor der Aufgabe, zu begreifen, was die Menschheit wohl zu einem solch extremen Verhalten hatte treiben können, dass sie bereit war, ohne Rücksicht auf Verluste Atomwaffen detonieren zu lassen: auf ihrem eigenen Planeten, gegen ihre eigene Zivilisation und in ihrer eigenen empfindlichen Atmosphäre.

Es war nicht die Zerstörungskraft des Kriegs selbst, die sie dazu brachte, euch zu beobachten. Und es war auch nicht der archetypische Schurke, der als das größte Übel, das die Erde jemals sah, in eure Geschichte einging. Nein, was Unruhe in eurer Atmosphäre stiftet, ja im gesamten Sonnensystem und bis hinaus in den Kosmos, waren die Atombomben, die auf die unschuldigen japanischen Inseln abgeworfen wurden.

Das ist etwas, an das ihr euch nicht erinnern *sollt.* Die Historiker haben diese beiden Atombomben erfolgreich fast vollständig aus dem menschlichen Bewusstsein eliminiert. Und inzwischen seid ihr fast alle zu jung, um euch noch selbst daran zu erinnern. Sicher, die Geschichtsschreiber und alle Politiker wollen, dass ihr vergesst, dass es die Allianz der »Guten« war, die absichtlich und ohne Rücksicht auf die Konsequenzen ihrer allmächtigen Handlung Atomwaffen gegen eine andere Nation nutzte.

Siebzig Jahre später: Fukushima. Jene, die euch beobachten, erkennen die karmische Bedeutsamkeit der Tatsache, dass ausgerechnet Japan und seine defekte Nuklearanlage ausreichend Radioaktivität freigesetzt hat, um in Ozeanen und irgendwann auch auf allen Landmassen der Erde eine Vernichtung epischen Ausmaßes anzuzetteln.

Keiner eurer Think Tanks, wissenschaftlichen Experten, Militärs oder Regierungsmitarbeiter hat sich sonderliche Mühe gegeben, dem radioaktiven Material Einhalt zu gebieten, das in den Ozean ausgespien wird – Minute für Minute, Tag um Tag. Nur sehr wenige Personen sind bereit, dieses Thema überhaupt in Betracht zu ziehen (geschweige denn zu diskutieren), und doch wundern sie sich immer noch, warum keine »guten Außerirdischen« zu euch herabgestiegen kommen, um für euch aufzuräumen – euren Dreck, eure Verantwortung, eure Lektion.

Wir brauchen wohl kaum zu erwähnen, dass die menschliche Spezies nicht weit genug entwickelt ist, um zu wissen, wie sie diese Kraft zähmen soll. Und heute – ein knappes Jahrhundert nach ihrer Entdeckung – seid ihr immer noch höchst anfällig für instabile, zerstörerische Energie. Eure Militärs und Despoten halten die absolute Vernichtung in ihren Händen, die nur darauf wartet, entfesselt zu werden. Und dennoch errichtet ihr weitere Atomkraftwerke und baut neue Bomben, eine größer und wirkungsvoller als die andere.

Vielleicht verleiht euch *das* eine klarere Vorstellung davon, warum außerirdische Schiffe über den Atomstationen schweben und einige eurer höchsten Militärbeamten von der mysteriösen Entschärfung mehrerer Atomsprengköpfe berichteten. Es gibt ein Gegenmittel für Kernspaltung, aber dabei handelt es sich um einen gefährlichen und äußerst schwer berechenbaren Prozess. Dennoch entschärfen fähige außerirdische Beobachter und ihre ausgebildeten Ingenieure methodisch die Raketensilos der Länder mit der größten Atomstreitmacht und machen damit die mächtigsten Waffen in deren Arsenalen funktionsunfähig.

Und dann ist da noch die Entstehung der Nazi-Außerirdischen-Untergrundstation an eurem Südpol, die für ziemlichen Aufruhr sorgt, seit sie nach all der Zeit, die sie vergraben unter dem dichten Gletschereis lag, entdeckt wurde – unter dem Eis, das dort so rapide schmilzt. Wie viele weitere Informationen braucht ihr noch? Reicht es nicht, dass diese Krieger der Dunkelheit so intensiv mit außerirdischer Technologie arbeiteten, um zu begreifen, dass Außerirdische unter euch sind?

Achtet auf die Antarktis. Es gibt dort eine beliebte, aktive Außerirdischenbasis, und verschiedene humanoide Spezies, die sich mit deutschem Blut vermengt haben, operieren nach wie vor in diesen Laboratorien und Militärstationen.*

Die von der Geheimregierung kontrollierten Medien geben ihr Bestes, um diese Entdeckung zu verbergen, aber ausgerechnet ihre eigenen Satellitensysteme haben euch Zugang zu Bildern von allen Winkeln der Erde gewährt – selbst zu jenen, die aus »streng geheimen« Gründen verdeckt wurden. Die bloße Tatsache, dass sie so bezeichnet werden, sagt ja schon alles, was

* Genaueres hierzu finden Sie in dem Buch *Antarktis – die verbotene Wahrheit* (2020) des amerikanischen Wissenschaftsjournalisten Michael E. Salla. Lesepoben auf www.AmraVerlag.de.

ihr wissen müsst. Zunehmend verbreitet sich die Geschichte, dass in den Tiefen der Antarktis Atlantis verborgen liegt und dort eine liebevolle, wohlwollende Spezies Außerirdischer lebt, die Arcturianer (alternativ auch als Atlanen oder Avianer bezeichnet), die sich bald zeigen werden, um der Menschheit Licht und Positivität zu bringen.

Aber das ist nicht die Wahrheit, jedenfalls nicht unserer Wahrnehmung und unserem Verständnis nach, und wir widersprechen dieser Hypothese. Es gibt kein großes Licht, das aus dem Inneren dieses Pols erstrahlt, und was sich dort befindet, sollte nicht auf die leichte Schulter genommen werden.

Entgegen eurer zusammengeschusterten Geschichtsschreibung wurde die Atombombe nicht erst während eures Zweiten Weltkriegs entwickelt und eingesetzt. Die Menschheit hat das Atom als destruktive Kraft und die damit einhergehende Selbstzerstörung bereits zuvor eingesetzt, um die Zeit des Untergangs von Atlantis. Damals richtete man die Atomkraft gegen das alte Indien.

Es existiert sogar eine Aufzeichnung dieses Ereignisses im alten Heiligen Buch Indiens, der *Mahabharata*, bei der es sich zweifellos um die Nacherzählung handelt, wie eine Atomrakete oder Atombombe eine ganze Zivilisation zerstörte.

Dort heißt es:

Ein einzelnes Geschoss,
aufgeladen mit der ganzen Kraft des Universums,
eine glühende Säule aus Rauch und Flammen,
so hell wie tausend Sonnen,
erhob sich in all ihrer Pracht …

Es war eine unbekannte Waffe:
ein eiserner Blitzstrahl,
ein gigantischer Todesbote,

der die gesamte Rasse der Vrishnis und Andhakas
zu Asche zerfallen ließ.

Die Leichen waren verbrannt
bis zur Unkenntlichkeit.
Haare und Nägel fielen ihnen aus,
Töpferwaren zersprangen ohne ersichtlichen Grund
und die Vögel verfärbten sich weiß.

Nach einigen Stunden
waren alle Nahrungsmittel infiziert.
Um diesem Feuer zu entkommen
Warfen sich die Soldaten in die Flüsse,
um sich und ihre Ausrüstung zu waschen.

Die gewaltige Kraft, die im Schicksalsjahr 1945 gegen euren eigenen Planeten, eure eigene Spezies und alles Leben auf den japanischen Inseln gerichtet wurde, war weitaus heftiger als das, was in diesem antiken indischen Krieg freigesetzt wurde. Was eure Nachbarwesen in den Sternensystemen jenseits eurer Sonnenpforten so besorgt, ist die Tatsache, dass sich eure Atomkraft in den vergangenen siebzig Jahren derartig intensiviert hat, dass ihr nun auch jenseits der Erde gewaltige Zerstörung anrichten könnt – und wie Kinder, die mit dem Feuer spielen, scheinen die Militärregierungen immer entschlossener sein, genau das auch zu tun.

Der Missbrauch der Militärmacht und die immense Ignoranz gegenüber dem Welleneffekt, den solche Waffen auf die galaktische Umgebung haben werden, entstehen immer dann, wenn die Regierungen gleich welcher Zivilisationen eine Macht besitzen, die die spirituelle und Bewusstseinsentwicklung übersteigt.

Das ist der Auslöser, der die Gesetze des Non-Interventionismus außer Kraft setzt.

Ein Blick auf die Gegenwart reicht aus, um in uns, die wir euch von unseren physischen Positionen in eurer weiteren galaktischen Region aus beobachten, die Überzeugung zu festigen, dass eure vereinten Militärkräfte über ausreichend große Nuklearkampfkraft verfügen, um die Erde und euren Mond mindestens fünfhundert Mal zerstören zu können ... sie einfach zu zerfetzen. Würde man ihnen erlauben, so weiterzumachen, würde der dabei entstehende grenzenlose Atomkrieg eine weltweite Katastrophe von solch gewaltigem Ausmaß erzeugen, dass es sich mit Worten nicht beschreiben lässt – und wir möchten derartige Gedankenenergien auch gar nicht durch unsere oder eure Schwingungsfelder senden. Das Potenzial all dieser Zerstörungskraft liegt außerhalb eurer Vorstellungskraft, besonders in Anbetracht der Tatsache, dass ihr nur so wenig über den Weltraum – das physikalische Universum – und die höheren Dimensionen wisst.

Wir können euch allerdings sagen: Würde man zulassen, dass sie den thermonuklearen Weltuntergang auslösen, würden die Erde und euer Mond in radioaktive Teilchen zersprengt werden, Projektile, die durch den Raum rasen, vorbei an eurem Sonnenschild. Je nachdem, wie nahe sie sich befänden, würden die Planeten und ihre Monde in eurem Sonnensystem durch diesen katastrophalen Ausstoß von Erdtrümmern entweder aus ihrer Umlaufbahn geschleudert werden oder langsam verstrahlt und dadurch zerstört werden. Das elektromagnetische Gleichgewicht zwischen den Planeten, ihren Monden und der Sonne wäre irreparabel dahin: Das Sonnensystem selbst würde sich auflösen und auseinanderfallen. Selbst der interstellare Staub, diese zarte Faser, würde weitaus radioaktiver werden und seinen Mangel an Mitgefühl und seinen Zorn im gesamten Raum verteilen und Leben weit jenseits eurer unmittelbaren Umgebung zerstören.

Das darf nicht passieren. Man wird es schlichtweg nicht zulassen.

Die Elite und ihre paar Auserwählten bilden sich ernsthaft ein, einen solchen Krieg – *ihren* Krieg – überleben zu können, indem sie sich mit ihren Zehnjahresvorräten an Nahrung und Wasser und ihren alternativen Energiequellen im Untergrund verkriechen, um abzuwarten, dass sich all das irgendwie wieder »legt«. Sie haben dort unten ganze Städte erschaffen, mit Kinos, Schwimmbädern und voll ausgerüsteten Krankenhäusern. Sie scheuen keine Kosten, diese Reichen, die vorhaben, die durch einen eventuellen nuklearen Holocaust ausgelöste Zerstörung einfach in aller Bequemlichkeit auszusitzen. Es ist immer wieder interessant zu beobachten, wie sich die Desinformierten und Unwissenden unter euch Illusionen erschaffen und wie jene, die diese leichtgläubigen Seelen manipulieren, ihnen sogar noch mehr Macht und Reichtum entlocken können, indem sie ihre Ängste und Fantasien nähren.

Wir brauchen wohl kaum zu betonen, dass nichts und niemand den thermonuklearen Krieg überleben würde, den ihr so sehr fürchtet – weder an der Oberfläche noch unterirdisch, ja nicht einmal im Erdkern.

Aber fürchtet euch nicht, denn man wird nicht zulassen, dass sie ein solches Ausmaß an Zerstörung anzetteln – und die obersten Drahtzieher wissen das auch. Trotz allem Säbelrasseln und den ununterbrochenen Drohungen mit der totalen Auslöschung wird man sie rechtzeitig aufhalten. Eure Militärklüngel sind zwar scheinbar nicht zu bändigen und gehorchen offenbar auch keinen bekannten Gesetzen oder Regierungsbeschlüssen, die sie im Zaum halten würden – aber wir versichern euch, dass eine außerirdische Agenda existiert, die einen Atomkrieg verhindern wird, angefangen bei der Entschärfung der über- und unterirdischen Arsenale sowie der Atomsilos.

Wir wollen noch einmal betonen: *Seit ihr an den Punkt ge-*

langt seid, nicht nur euch selbst zerstören zu können, sondern auch den gesamten Planeten und vieles jenseits davon, sind alle interplanetaren Regelungen zum Non-Interventionismus und alle Einschränkungen außerirdischen Eingreifens aufgehoben. Solltet ihr euch jetzt also wundern, warum aus Militärkreisen durchsickert, dass in euren nuklearen Sprengstoffbasen und Marineschiffen seltsame Ereignisse »der dritten Art« vor sich gehen, dann kennt ihr nun den Grund.

Eine kriegerische, technologisch immer stärker werdende Militärtyrannei und eine gefügige irdische Spezies sind für die friedliche Koexistenz der planetaren Zivilisationen innerhalb und außerhalb eures Sternensystems von Belang – und deshalb wird man euch auch nicht erlauben, von eurem Planeten zu migrieren, bis ihr nicht entwaffnet und erwacht seid.

Das könnte natürlich bedeuten, dass es zu Weltraumkriegen kommt. Aber wenn sie nötig sind, um die Militäraktivitäten zu beenden, die das Bündnis aus Menschen und Außerirdischen außerhalb eurer Grenzen durchführt, dann könnt ihr euch darauf verlassen, dass die Allianz bereit ist, die Bedrohung zu beseitigen und zu einem abrupten Ende zu bringen.

Um zu unserer anfänglichen Diskussion über die außerirdischen Bewohner, die sich auf der Erde niedergelassen haben, zurückzukehren: Hier kommt auch das Thema Non-Interventionismus mit ins Spiel. Warum hat man überhaupt zugelassen, dass problematische Außerirdische in euren Hoheitsbereich eintreten durften, wenn solche Gesetze galten? Eure Weltregierung, repräsentiert durch US-Präsident Eisenhower, traf sich Mitte des zwanzigsten Jahrhunderts mit Greys und handelte einen Deal aus, der ihre Forderungen (oder, wie sie sie lieber bezeichnen: ihre »Bedingungen«) während dieses Kriegs erfüllte. Diese »Übereinkunft« gilt bis heute. Sie besteht in einem relativ einfachen Tauschgeschäft: unvergleichliche Technologie gegen Zugang zum menschlichen Reproduktionssystem durch verdeckte Aktivitäten und geheime Entführungen Unschuldiger, um Reproduktionsmaterial zu extrahieren, das dann genutzt werden kann, um beständig Hybride aus Greys und Menschen züchten zu können – eine neue Spezies.*

Es wird euch vielleicht überraschen zu erfahren, dass Tausende dieser Hybridkinder bereits von eurem Planeten ausgesendet wurden, um die Überlebenschancen der Hybrid-Spezies in anderen planetaren Umgebungen zu testen. Das bedeutet, dass menschliche DNA, die mit Genmaterial des Greys mutiert ist, im materiellen Universum verteilt wurde. Es lässt sich also tatsächlich sagen, dass der Mensch bereits von eurem Planeten migriert ist – solange ihr bereit seid, eine Hybridform eurer biologischen Gestalt als »Menschen« zu definieren.

Sie handeln nicht aus Bösartigkeit so, auch wenn all das für eure Ohren natürlich beängstigend klingt. Letztlich geht es ihnen nur ums Überleben – berechnend, kalt und emotionslos. Es kommt ständig zu Kreuzungen zwischen den Spezies, um neue und stärkere genetische Linien zu erzeugen. Und vergesst nicht, dass eure DNA unglaublich ist! Vergesst nicht, dass sie auch den »Junk«-Anteil nutzen, den

---

* Umfassende Informationen über diese historischen Zusammenhänge finden Sie in dem Buch *Greys* (2018) von Marcel Polte sowie in zwei Büchern von Michael E. Salla, in denen detailliert die Ursprünge und der aktuelle Stand der zurzeit auf der Erde aktiven Geheimen Weltraumprogramme betrachtet wird: *Geheime Weltraumprogramme & Allianzen mit Außerirdischen* (2018) und Das *Geheime Weltraumprogramm der U.S. Navy & die Allianz mit den Nordischen* (2019). Über die Züchtung der Hybriden, die sich mitten unter uns befinden, gibt besonders gut das Buch *Alien-Hybriden* (2017) des ehemaligen Geschichtsprofessors David M. Jacobs Auskunft. Leseproben all dieser Bücher finden Sie auf www.AmraVerlag.de.

sie umstrukturieren wollen zu Autobahnen unbeschreiblicher Intelligenz und Physiologie.

Nach allem, was ihr durch die verängstigten Berichte Tausender traumatisierter Entführungsopfer gehört habt, die den Untersuchungen und chirurgischen Experimenten der Greys unterzogen wurden, fühlt sich das Unterfangen sicherlich böse an. Aber verwechselt ihr aus Überlebenswillen entstandenes Bedürfnis nach menschlichem Genmaterial nicht mit einer zwingend böswilligen Intention, Leid zu verursachen. Die Tatsache, dass die Experimente der Außerirdischen an nicht gewillten Subjekten durchgeführt werden, die größtenteils für den Rest ihres Lebens traumatisiert sind, ist das, was euch am meisten Angst macht.

Und dann ist da noch die Tatsache, dass es eure eigene Regierung war, die die menschliche Spezies zum Verkauf gestellt hat.

Wenn ihr überhaupt Angst habt, dann liegt ihr Ursprung sicherlich in diesem Verrat begründet.

Einige außerirdische Funktionäre glauben, sie könnten davon profitieren, wenn die Zerstörung eures Planeten eskaliert. Aber es gibt auch welche, die dabei helfen wollen, Frieden auf dem Planeten zu verbreiten, und euch dabei unterstützen, eine weiterentwickelte Zivilisation zu werden, ähnlich anderen intelligenten Spezies in eurem Sonnensystem. Wie bei allem im polaren Feld gegensätzlicher Energien ist es nämlich auch hier so, dass manchen außerirdischen Spezies euer Wohl am Herzen liegt und sie sich sehr um die Ökologie eures Planeten sorgen. Vergesst nie, dass im Inneren der Erde die heilige Welt von Agharta liegt, eine Siedlung von Lichtwesen, die in den frühesten Stunden von Atlantis erschienen sind – der reinen, unbefleckten Welt von damals, als diese Zivilisation noch jung und unschuldig war. Die Yzhnüni, die wir euch in früheren Botschaften bereits vorgestellt haben, sind faszinierende Lichtwesen, die einhunderttausend Jahre lang im Erdinneren geschützt wurden. Und das ist der Ort, an dem die wahre spirituelle Führerschaft Gaias zu finden ist.

Diese auch als »Atlán« bekannte Spezies von Außerirdischen (wenn man sie überhaupt noch als solche bezeichnen will) lebt schon so lange friedvoll im Inneren des Planeten, wie der *Homo sapiens* auf seiner Oberfläche wandelt. Bald werden sie sich unter euch gesellen und als die neuen Anführer der Erde dienen. Sie werden das Spielfeld betreten, wenn sich ein offener Kontakt mit Außerirdischen aus exoplanetaren Gemeinschaften etabliert hat.

Die zahlenmäßig bedeutsamste außerirdische Präsenz findet sich in verschiedenen Unterwasserstationen, die über den gesamten Planeten verteilt sind. Sie verbergen sich im tiefen Wasser und verlassen und betreten die Ozeanzentren nachts – sicherer könnten sie sich nicht vor den allsehenden Augen eurer Militärregierung abschirmen. Einige dieser Strukturen sind dem Pentagon und seinen Pendants bekannt, von anderen wissen sie noch nichts, da sie undurchlässig für ihre Sondierungen sind.

Solltet ihr euch fragen, warum es weltweite Marinedirektiven gibt, Bomben in den Ozeanen zu detonieren und die Weltmeere mit starken Echoloten und anderen elektromagnetischen Impulsen zu vermessen, dann wisst: Es geht dabei nicht um »Kriegsspiele«, wie man euch weismachen will. Diese dienen angeblich dazu, euch vor der omnipräsenten Bedrohung durch Terroristen zu schützen, die mit ihren nichtexistenten Kriegsschiffen an euren Küsten anlegen wollen – Schiffe, die niemals in eure Reichweite gelangen würden, wenn man das Netz aus Satellitensystemen in Betracht zieht, das euren gesamten Planeten umspannt. Und es geht auch nicht um das Risiko, dass irgendeine feindliche Nation den Plan verfolgen könnte, ein paar U-Boote durch das Kontrollnetz der Küstenmeere zu schmuggeln, wo sie in den Tiefen darauf lauern, wie hungrige Raubtiere anzugreifen und euer Land zu erobern.

Nein, dieses paranoide Szenario ist nichts weiter als eine List, um einen immensen globalen Angriff auf eure Ozeane zu verbergen. Aber sicherlich durchschaut ihr sie.

Was in eurer Tiefsee wirklich vor sich geht, ist die bewusste und durchgetaktete Beseitigung aller außerirdischen Unterwasserstationen in euren Ozeanen, die nicht mit eurer Geheimregierung konform gehen – einer Regierung, die so geheim ist, dass ihre Direktiven bezüglich der Ozeane von einer Ebene ausgehen, die acht Sicherheitsstufen über der des US-Präsidenten steht.

Die Bitten der Großen Wale und Delfinwesen – der Q'iquoq'i – sind allesamt ignoriert worden. Trotz aller Bemühungen seitens des Militärs und dessen unerfülltem Versprechen, den Missbrauch der Ozeane einzudämmen, werden Bomben und Mikrowellen sowie die qualvollen Schallexplosionen weiterhin ungehindert eingesetzt. Deshalb verlassen euch die Q'iquoq'i nach und nach und reisen in andere Dimensionen oder reinkarnieren sich mit ihren Brüdern in empfänglicheren planetaren Umgebungen.

Einige dieser Außerirdischenkolonien in der Tiefsee sind im Verlauf des vergangenen Jahrzehnts entdeckt worden, mehrere wurden ausgelöscht oder befinden sich in verschiedenen Verfallsstadien. Einige sind vollständig von der Erde evakuiert worden. Jene, die es noch gibt, konnten den Sondierungen und der Beobachtung durch das Militär bislang erfolgreich entgehen, indem sie ständig in Bewegung blieben, so wie ein Meeresbewohner, der nicht im Meeresboden verwurzelt ist. Ihre Bauwerke wurden so umfassend an die Unterwasserumgebung angepasst, dass sie für die derzeit auf der Erde vorhandenen Überwachungstechnologien nahezu unaufspürbar sind.

Diese aus vielen Spezies zusammengewürfelten Gemeinschaften bestehen aus Wissenschaftlern, Meeresbiologen und Wasserbewohnern, die mit denen der Erde interagieren. Sie sind da, um die für die Erde so lebenswichtigen Ozeane zu untersuchen, nicht, um sie zu zerstören! Und sie interagieren nicht mit eurem Militär (außer, indem sie ihm ausweichen). Entsprechend werden sie vom Klüngel als Bedrohung wahrgenommen, der sie ebenso zerstören will wie jede andere Nation, die sich weigert, seinen Anordnungen zu gehorchen.

Unter der Oberfläche – nicht zu verwechseln mit der Innenwelt Agharta – befinden sich auch Außerirdischenstationen, die im Gegensatz dazu in starkem Austausch mit Regierung, Militär und den herrschenden Technologieunternehmen stehen. Sie werden bewohnt von Zeta-Retikulanern und höher gewachsenen Greys, die auf höchster Ebene in direktem Kontakt zu menschlichen Repräsentanten oberhalb der höchsten Geheimhaltungsstufe stehen. Sie sind es, die die Bedingungen für den Austausch von Technologien gegen menschliches Genmaterial verhandelt haben. Sie stammen aus dem Sternbild Orion, einer Region, in der durch ständige Konflikte zwischen den Kräften von Licht und Dunkel dauerhaftes Ungleichgewicht herrscht.

Es gibt viele unterschiedlichen Rassen, die in eurem Raum herumschwirren und euch beobachten, vor allem solche von benachbarten Planeten. Wichtiger, als sie euch zu beschreiben – eine Übung, die aus unserer Sicht niedrige Energien zuführt und euch mit leeren Informationen anfüllt –, ist es unserer Meinung nach zu verstehen, dass ihr von intelligenten Spezies umgeben seid, die unterirdisch, in den Meeren, über euch und unerkannt zwischen euch leben. Dies ist kein zukünftiges Ereignis, das euch eines Tages enthüllt werden wird.

Es ist schon jetzt präsent, koexistiert mit euch im Hier und Jetzt eures Lebens. Der neue gemeinsame Nenner wird nicht diese Realität selbst sein, sondern die Öffentlichmachung dieser Realität. Sie wird die Integrierung zahlreicher Spezies auslösen und viele Geheimnisse enthüllen, die nicht mehr geheim sein dürfen.

Ihr seid mehr als bereit für diesen Augenblick der Wiedervereinigung, wartet sehnlich auf das Ende der Tage der Isolation. Ihr seid bereit dafür, dass der Film entwickelt, das Negativ im Licht bearbeitet wird – mit welchem Ergebnis auch immer.

Wenn wir die Frage physischer außerirdischer Wesen und ihrer Interaktion mit euch und euren Regierungen weiter ausführen wollen, dann deshalb, weil es sich dabei um eine Realität handelt, die sich euch in wenigen Jahren plötzlich eröffnen wird – und dabei handelt es sich ohne jede Frage um einen wichtigen Schritt in eurer Fortentwicklung. Im großen Ganzen der Realität, die sich dort entfaltet, ist es kein bloßer Zufall, dass sich das gerade jetzt ereignet, am Wendepunkt eures evolutionären Rads.

Es ist ein Katalysator, der die meisten eurer fast acht Milliarden Menschen miteinander vereinen wird – und das ist genau das, was jene, die euch so lange voneinander getrennt haben, nicht wollen. Eine vereinte menschliche Spezies? Wir versichern euch, dass es sich dabei um eine Kraft handelt, die man nicht unterschätzen sollte.

Von der Überzeugung, dass ihr Waisen in einem unbelebten Universum seid, hin zu massenhaften Begegnungen mit außerirdischen biologischen Einheiten, die teils dem Licht und teils dem Dunkel zugewandt sind – ihr werdet diese explosive Realität akzeptieren und mit ihr leben müssen. Innerhalb weniger Jahre nach dieser Übertragung hier werdet ihr auf diese Weise lernen, wie man ohne Hass und Wut mit anderen zusammenlebt.

Wenn ihr euch gefragt habt, wie um Himmels willen ihr euch jemals von eurem jetzigen Zustand aus zu einem höheren Bewusstsein weiterentwickeln sollt, dann können wir euch nur versichern, dass das Erlernen von Akzeptanz und Offenheit gegenüber außerirdischen Arten die bei weitem größte Herausforderung ist, die ihr in eurer aktuellen Gesellschaft jemals meistern musstet. Der Weg zu einer friedlichen Koexistenz mit Wesen, die teils am Licht, teils am Dunkel orientierte Ziele verfolgen, und dieses Gleichgewicht zu halten, damit ihr euch in ein Paradigma hineinentwickeln könnt, von dem eure Großeltern nicht einmal geträumt haben, wird eine ziemlich außergewöhnliche Erfahrung.

Sie wird schwierig. Sie wird wunderbar. Sie wird beängstigend und erhellend.

All dies hängt wie immer in so vielen Hinsichten von eurer Intention, eurer Wahrnehmung und eurer Fähigkeit ab, Veränderungen zu akzeptieren – und wir sprechen hier von gewaltigen Veränderungen. Am besten betrachtet ihr den Berg an zugänglichen Informationen unter Berücksichtigung der Frage, wie diese lang erwartete Begegnung die Gesamtheit beeinflussen wird.

Ignoriert so gut ihr könnt die cineastischen Vorstellungen, die die drängende Frage eurer zukünftigen Begegnungen mit außerirdischen Spezies einzig als das pure Grauen darstellt. Denkt daran, dass es sich dabei um ein Konzept von »Grauen« handelt, das genutzt wird, um die menschliche Spezies zu entmachten.

Was für ein größeres Grauen könnte es in euren Köpfen geben als das einer außerirdischen Spezies, die auf die Erde gekommen ist, um die Menschheit vollständig zu vernichten oder eure Welt an sich zu reißen?

Denkt immer daran: Hätten Außerirdische – die schon unter euch sind oder euch aus der Ferne beobachten – die Absicht, euch zu zerstören, wärt ihr längst nicht mehr da und euer Planet wäre nicht mehr wiederzuerkennen. Das ist ausgemachte Sache. Was sie eurem Militärklüngel an Waffen und Technologie gegeben haben, ist nur eine winzige Kostprobe der Energien, die sie beherrschen und zu destruktiven Zwecken einsetzen können, falls sie das jemals beabsichtigen sollten.

All das wird schon bald relativ unwichtig sein, wenn die neue Welle außerirdischer Besucher eintrifft – also jener Wesen, die eure Souveränität respektieren und niemals eingegriffen hätten, wenn nicht die Gesetze des Non-Interventionismus aufgehoben worden wären.

Das ist der Augenblick, auf den ihr alle wartet, und er wird Kräfte des Lichts ins Spiel bringen, die euch dabei helfen, den Weg durch diesen Sumpf der Interaktion zwischen Menschen und Außerirdischen zu finden.

Sie werden liebevoll, aber resolut ihre Absicht verfolgen, alle existierenden Abkommen und Übereinkünfte zwischen Aliens und Regierung zum Erliegen zu bringen. Als zielstrebige Visionäre werden sie euch anleiten, aber nicht über euch befehlen. Und vor allem werden sie standhafte Mediatoren zwischen den wegbrechenden Kräften und den Anführern der neuen Welt werden, die euch in die Zukunft führen.

Und ganz fraglos werdet ihr es merken, wenn sie ankommen.

Kapitel 8

Und so schwindet die Schreckensherrschaft der Reptiloiden

In unseren vorherigen Botschaften haben wir umfassend beschrieben, dass einige wenige Machtherrscher erfolgreich ein globales Kontrollnetzwerk um den gesamten Planeten gesponnen haben – bis jetzt, wo ihnen die Lage spürbar entgleitet. Wir haben verdeutlicht, wie sie ihren Masterplan auf euch und die Erde selbst angewendet und ihre Macht ausgeübt haben, um den Verlauf der Menschheitsgeschichte über Jahrtausende hinweg stark zu beeinflussen, während sie ihren eigentlichen Hauptzweck verfolgten, Nibiru zu retten.

Niemals in all ihrer Zeit auf der Erde konnten sie den menschlichen Geist brechen … obwohl sie es natürlich mit aller Gerissenheit, Macht und ihren gesamten Instrumenten versucht haben.

Sie, die Anunnaki-Herrscher, deren Blut anders ist als eures, sind im Aussterben begriffen und ihr Imperium bröckelt spürbar. Wir haben diese Zeit vorausgesagt, und auch, wie es dazu kommen würde, dass ihr sie realisiert … und hier ist sie.

Die Könige und Königinnen und jene verborgenen, unbeschreiblich reichen Dinosaurier, die von den abgeschirmten Königreichen der höchsten Autokratie aus das Leben aus der Erde gesogen haben, sind bis zu dem Punkt ausgestorben, an dem es kein Zurück mehr gibt.

Ihre letzten Generationen, die gezwungen wurden, die Dinge so zu nehmen, wie sie sind, haben erkannt, dass es immer schwerer wird, sich in einer menschlichen Form zu verstecken. Ihre Schuppen zeichnen sich ab, alles wird transparent – weit transparenter als je zuvor, als sie noch dazu in der Lage waren, ihr Geheimnis zu bewahren und über die Erde zu herrschen. Aber jetzt sind sie wie verletzliche Magier, die euren Verstand nicht länger mit Illusionen und Tricksereien blenden können, die hinter Vorhängen und Schleiern ihres selbsternannten Adels mit all seinen vergoldeten Thronen, Altären und gewaltigen Machtsitzen erschaffen wurden.

Diese Krallen, die den menschlichen Geist so lange in einem Zustand der Angst und des Gehorsams fixiert haben, lösen sich im Licht der neuen Erdenergien auf und lockern den Griff, in dem sie eure gesamte Welt haben. Denn da ist mehr Licht, als sie ertragen können, Licht, das von ihren düsteren Höhlen aus wirkt, als würden sie ungeschützt in die Sonne starren.

Wenn ihr nun also beobachtet, wie sie von ihrer menschlichen Tarnung aus die Gestalt wandeln und ihre Reptilienhaut annehmen, denkt daran, dass ihr nicht Zeugen werdet, wie sie erstarken, sondern wie ihre Macht nachlässt. Vergesst nicht: Im Zuge des Aufstiegs von Gaias Spirit und der gewaltigen Himmelsenergien, in die die Erde getaucht wird, können sie ihre menschliche Maskerade nicht mehr aufrechterhalten, und das Leben auf dem blaugrünen Planeten wird für die Reptiloiden äußerst ungemütlich.

Wenn ihr im Begriff seid, euch zu erheben und sie aus eurem karmischen Gedächtnis zu löschen, so dass ihr sie hinter euch lassen könnt, müsst ihr euch die Freiheit einräumen, Ursache und gewünschtes Ziel ihrer Manöver zu durchdenken, die sich gegen euch, gegen die Erde und – seit kurzem auch – gegen alle äußeren Kräfte richten, die entschlossen sind, euch in der Schlacht um euren Planeten zu unterstützen. Es ist sehr wichtig, das zu begreifen und sie objektiv zu beobachten, von einem Pol zum anderen, damit euer hervorragender Verstand die Möglichkeit bekommt, das breite Spektrum möglicher Realitäten zu sehen … in Betracht zu ziehen … und zu erleben. Dies ist von wesentlicher Bedeutung für eure Leistung und vereinfacht sich mit dem fortgeschrittenen Gewahrsein, das durch eure Ankopplung an und letztliche Umwandlung in die vierte Dimension einhergeht.

Während dieses Augenzwinkerns der Zeit – wenig mehr als zwanzig Jahre, seit wir euch unsere ersten Botschaften übermittelt haben – hat sich in den Hauptanweisungen der Anunnaki eine große Verschiebung ereignet, die ihre verzweifelten Versuche betrifft, ihre alte Heimatstation Nibiru vor dem galaktischen Tod zu bewahren.

Die Reptiloidenherrscher der Erde und ihre Hybridbrut haben versagt.* Sie sind besiegt worden, auch wenn sie das

---

* Woher die Reptiloiden stammen, die man übrigens nicht mit den Anunnaki verwechseln sollte, seit wann sie eigentlich auf der Erde sind und welche Zwecke sie hier genau verfolgen, können Sie dem Buch *Die geheime Weltherrschaft der Reptiloiden* von Len Kasten entnehmen, das ebenfalls bei AMRA vorliegt. Als Quelle für ihr frühes Wirken dienen in diesem Standardwerk unter anderem Channelings der nordamerikanischen Indianer. Leseproben finden Sie auf www.AmraVerlag.de.

noch nicht akzeptiert haben, und suchen jetzt nach Lösungen, wie sie überleben können. Kein Ausmaß an elektromagnetischer Manipulation und auch kein Versuch, das Raumzeitkontinuum zu verändern, um ihren Planeten Nibiru aus dem fernen Weltraum in euer System zu ziehen, erwies sich als erfolgreich. Zu diesem finalen Schluss kamen sie Ende des Jahres 2012, als sie mitansehen mussten, wie sich das Rad der Zeitalter drehte.

Was auch immer ihr darüber hört, dass dieser »Planet X« in euer Sonnensystem eintritt, und was sonst noch an Fehlinformationen über diesen Himmelskörper kursiert – wir wollen betonen, dass sich Nibiru *nicht* in eurem Sonnensystem befindet. Er liegt weiterhin weit draußen in der galaktischen Nacht, weit entfernt von eurem Stern – zu weit sogar, um das Ziel einer Ausrichtung oder elektromagnetischen Partnerschaft mit eurem Planeten erreichen zu können, die Nibiru eine Schwarzfahrt in die vierte Dimension ermöglichen würde.

Sie wissen, dass ihr wandernder Planet und seine sterbende Zivilisation niemals mit euch werden mitschwingen können, ganz gleich, wie sehr sie sich bemüht haben, die Schwingungsessenz der Erde zu reduzieren. Gaia ist stark. Im Kern ihres Seines – ihrer Seelenessenz – ist sie heller und strahlender.

Natürlich kämpft Gaia mit verschiedenen invasiven Faktoren, die ihr Immunsystem, ihre Selbstheilungskräfte und ihre harmonische Schwingung angreifen, und sie rebelliert dagegen mit aller Kraft. Ihr seid Zeugen der wilden Stürme, des Zerfalls ihrer Außenkruste und verschiedenster extremer Wettererscheinungen. Bei einigen von ihnen handelt es sich um das explosive Ergebnis ihrer Rebellion gegen die Ungerechtigkeiten, die ihr zugefügt werden. Andere entstehen durch bewusstes Eingreifen der Geheimregierung, die immer noch darauf abzielt, den Geist eures Planeten zu zerstören, solange sie die Erde noch ihrer Reichtümer berauben können, wodurch sie sie letztlich in eine aller eigenen Rohstoffvorkommen beraubte Tankstelle verwandeln, die in den zukünftigen Sternenkriegen, die derzeit in eurem Sektor der Galaxis angezettelt werden, von außerirdischen Händlern genutzt werden soll.

Falls ihr glaubt, die Umweltkatastrophen, die im Umfeld der Erde auftreten, seien »Unfälle«, dann habt ihr die strategische und systematische Zerstörung, die derzeit im Gange ist, nicht vollständig erfasst – und wir sind der Überzeugung, dass dieses Begreifen von äußerster Wichtigkeit ist. Gaia wird über ihre Meere, durch atmosphärische Vergiftungen und die Zerstückelung ihrer Skelettessenz – der Erde – angegriffen. Die gewaltige Katastrophe, die ihr als »Ölpest im Golf von Mexiko« kennt, war kein Unfall. Dieses erdölreiche Gewässer wurde von den Ölbaronen beansprucht, die es systematisch aller natürlichen Reserven beraubt haben. Das Ergebnis dieses Prozesses ist eine Plantage für Zuchtalgen, die in Zukunft zur Herstellung von Biotreibstoff dienen sollen. Das Vorhaben ähnelt der Rodung gewaltiger Bereiche des Regenwalds – Gaias Lunge –, die teilweise für Goldminen, Massentierhaltungsanlagen und Plantagen nicht endemischer Baumarten genutzt werden, durch die mit hohem Profit qualitativ minderwertige Nahrungsmittel angebaut werden.

Sie ernten eure DNA und bauen die Ressourcen der Erde ab.

Ganz gleich, wie straff diese Individuen die Zügel des menschlichen Kollektivs auch halten wollen – ihr tretet ein in eine Phase galaktischer Koexistenz zwischen dreidimensionaler Perspektive und eurer zukünftigen vierdimensionalen Position.

Denkt daran: Die Gesetze des Non-Interventionismus wurden aufgehoben. Wesen von außerhalb der Quarantänezone, in der man die Erde das letzte Jahrtausend lang isoliert gehalten hat, interagieren bereits mit euch als Zivilisation und Individuen, auch wenn es noch immer nicht so wirken mag und ihr euch bislang vielleicht eine andere Vorstellung davon gemacht habt, wie und wann eure Gesamtbevölkerung das begreifen wird.

Die Herrschaft der Reptiloiden ist beinahe vorbei, und das wissen sie auch. Ihre Neue Weltordnung wird sich *nicht* etablieren können – ganz einfach, weil ihr das nicht zulassen werdet und Energien gefördert habt, mit denen ihr es verhindern könnt. Es ist ein gescheitertes Experiment, das in den ersten Todeswehen liegt, und sie haben nichts, womit sie es ersetzen könnten – nichts als die Auferlegung einer weltweiten tyrannischen religiösen Autorität, mit der man euch indoktriniert. Doch selbst diese Bedrohung wird euch nicht aufhalten können, denn inzwischen durchschaut ihr die Reptiloiden und entwirrt dadurch die Knoten, mit denen sie euch fesseln wollen. Ihr reißt euch los, entgegen jeder möglichen Machtstruktur, heimlicher Überwachung, Polizeistaatlichkeit, Vergiftung und Gedankenkontrolle.

Ob ihr es glaubt oder nicht: *Sie haben weit mehr zu kämpfen als ihr!*

Vergesst nie: *Sie sind zweitausend, ihr seid an die acht Milliarden!* All diese Menschen in einem Zustand der Spaltung, Wut und Angst festzuhalten, erforderte ein gewaltiges Ausmaß an Fähigkeiten zur Gedankenkontrolle und eine ständige Aufrechterhaltung eurer emotionalen Instabilität. Bis jetzt waren sie darin ausgesprochen effektiv. Tatsächlich erreichten ihre Fähigkeiten den Höhepunkt, als ihr in den nächsten galaktischen Zyklus eingetreten seid, in dem sich alles beschleunigt.

Selbst das Dunkel ist in Raserei geraten und wendet sich nun gegen sich selbst! So etwas geschieht, wenn sich die gewaltigen Zahnräder der Evolution drehen und die verrosteten Räder gereinigt werden müssen, damit sie sich frei bewegen können. Sie haften wie durch Magnetkraft an der Vergangenheit, wollen nicht loslassen, obwohl sich ihre Träume und die fehlgeleitete Kraft, die sie erzeugt hat, in Luft aufgelöst haben.

Das soll nicht heißen, dass sie keine Kontrolle mehr über das System haben – denn die haben sie noch. Aber das System selbst *stirbt.* Es ist ein bröckelndes Imperium, das einer Revolution des menschlichen Gewahrseins weicht.

In ihrem letzten Versuch, die Erde zu packen zu bekommen, haben sie alle Register gezogen. Sie sind entschlossen, euch mit in den Abgrund zu reißen, aber eure Anzahl und euer Begreifen, dass der Geist über die Materie siegt, sind unüberwindliche Hindernisse für den Erfolg ihres Plans. Sie werden ihn nicht umsetzen können, und so könnt ihr sie nun bei ihren panischen Selbstrettungsversuchen beobachten. Sie haben Infrastrukturen auf Mond und Mars errichtet, damit das Überleben dort nicht eine bloße Möglichkeit bleibt – es ist bereits Realität. *Sie migrieren schon dorthin.* Aber was mit ihnen geschieht, wenn die beiden Planeten in den vierten Dichtegrad aufsteigen, wird durch die Intensität des Karmas bestimmt werden, das sie mitbringen.

Es wird, da sind wir uns sicher, nicht leicht werden. Aufgrund unseres Wissens über Ursache und Wirkung empfinden wir tiefe Empathie mit den karmischen Überresten, die alles in ihnen und um sie herum durchdringen werden, bis sie dazu in der Lage sind, sie aufzulösen.

Ganz gleich, als wie bösartig sie quer durch die Zeiten dargestellt wurden: Wir möchten euch daran erinnern, dass diese dunklen Seelen mit ihrer Tyrannei über die Erde *ein* Hauptziel verfolgt haben: ihren Planeten zu retten, und damit auch die sterbende Reptiloidenzivilisation – eine ganze Spezies, die in ihrer plündernden unterirdischen Welt nur gerade eben so überleben konnte. Es war ihre Hoffnung, Retter einer ganzen Welt sein zu können. Und obwohl ihre Idee, die Schwingung der Erde so weit zu senken, dass sie sich an die ihres eigenen Planeten anpasst, gewaltige Probleme für die Erde bedeutet hat, war es aus ihrer Sicht die einzige Hoffnung. Diese ferne und unerreichbare Gutherzigkeit, die ihren Missetaten und ihrer invasiven Überheblichkeit gegenüber der Souveränität der Erde zugrunde lag, hat ihnen in vielerlei Hinsicht Kraft gegeben.

Wir bitten euch nicht, ihnen all das, was sie über eure Welt gebracht haben, zu vergeben. Euch selbst zuliebe aber hoffen wir, dass ihr Mitgefühl empfinden könnt. Es ist unsere Hoffnung, dass ihr euren Zorn, die Verachtung und Angst vor ihnen hinter euch lassen und beobachten könnt, wie sich all diese niederen Emotionen im Licht des Goldenen Zeitalters, das euch bevorsteht, einfach auflösen.

Euer Mitgefühl bedeutet ihnen nichts. Sie suchen nicht euer Mitgefühl – nur euren Gehorsam.

Deshalb spielt es für sie nicht die geringste Rolle, ob ihr Mitgefühl empfindet oder nicht.

Aber für *euch* spielt es eine Rolle.

Eine sehr sehr wertvolle und wichtige.

KAPITEL 9

Das Ende der alten Zeiten

Trotz der Mechanisierung von Krieg und Zerstörung, die euren Planeten augenblicklich plagt, trotz der scheinbar unüberwindbaren Grenzen, die zwischen euch gefördert werden, dürfen wir euch mitteilen, dass das »Ende der Welt«, wie es euch beschrieben wird, eine falsche Projektion der Realität ist, die dazu dienen soll, euch endgültig zu entmächtigen – bis euch der Rückweg zu eurer wahren Menschlichkeit vollkommen verbaut ist.

Viele alte Prophezeiungen wurden als Weltuntergangsszenarien apokalyptischen Ausmaßes interpretiert, und es besteht kein Zweifel, dass ihr derzeit eine massive, zunehmende und auf Angst basierende Weltanschauung miterlebt, laut der ihr euch an der Schwelle des gefürchteten biblischen »Endes aller Tage« befindet.

Als die meisten von euch noch schliefen, wart ihr unempfindlich gegenüber der Angst. Jetzt, wo ihr den kritischen Augenblick erreicht habt, werden immer mehr Menschen immer zorniger, stellen sich gegeneinander. Religion steht gegen Religion … und Nation gegen Nation.

Diese andauernde, endlose Androhung der Auslöschung und die Stimulation eurer niederen Energiewirbel ermöglicht jenen, die euch kontrollieren wollen, ein mehr oder minder vorhersehbares Verhalten eurerseits, das sie ihren Absichten gemäß dirigieren können. In ihrer letzten verzweifelten Bemühung, an ihrer Kontrolle festzuhalten, hat die Macht, die bereits so lange herrscht, die weltweite Gesellschaft zu einer neuen Ebene von Hass und Wut aufgeputscht. Rasse, Geschlecht, Religion, Alter, Geld … all dies sind Werkzeuge, die genutzt werden, um Menschen gegeneinander aufzuhetzen. Diese Werkzeuge wurden zwar immer schon erfolgreich vermarktet und eingesetzt, aber noch nie im heutigen Ausmaß.

Tatsächlich ist die Stunde eurer Befreiung gekommen, und die Herrscher der alten Zeiten wissen das auch. Aber sie wissen nicht, wie sie loslassen sollen.

In eurem Kollektivbewusstsein existieren keine Aufzeichnungen über wahre soziale Freiheit – nur über eine Illusion dieser Freiheit. Und nun schreibt ihr dieses Paradigma mit dem immer weiter aufsteigenden Licht eurer Seele neu.

Die Menschen werden hinabgedrückt in die niederen Energiezentren eurer elektromagnetischen biologischen Beschaffenheit und unablässig dahingehend manipuliert, jedes Glaubenssystem zu diskreditieren, das nicht mit ihrem eigenen übereinstimmt – auch durch Anwendung von Gewalt und der rücksichtslosen Ermordung jener, die es wagen, den Herrschern die Stirn zu bieten. Auf dieser Ebene der Disharmonie kann man leicht jedes Wort, jede Handlung und Idee, die die eigene Komfortzone überschreiten, als bedrohlich und böse verurteilen. Und überwältigt von der ständigen und andauernden Bombardierung der niederen Energiezentren wird leicht verständlich, wie es möglich ist, dass das Vertrauen in die Liebe und die Suche nach wahrem Glück zu wenig mehr als einem unmöglichen Traum wurde.

Soldaten, die für ein Ideal kämpfen, halten dieses für den wahren Zweck des Kriegs. Sie sind bereit, ihr Leben dafür zu opfern.

Aber ihr wisst es besser.

Verliert nicht den Glauben an die Menschheit. *Das antiquierte Modell einer Zivilisation im Dauerkampf wird bald von einer neuen Brüderlichkeit abgelöst werden.*

Oberflächlich mag es so wirken, dass euch das Ende der Welt bevorsteht. Denn das Ausmaß an Disharmonie stellt fraglos eine Herausforderung für die Vorstellung dar, dass in eurer Welt das Licht die vorherrschende Kraft ist. Aber wenn ihr genauer hinseht und in die Tiefen des Kerns eurer sozialen und planetaren Instabilität vordringt, könnt ihr gar nicht anders, als zu erkennen, dass sich die Erde in den letzten Zügen einer gewaltigen Veränderung befindet … einer dringend nötigen Veränderung … und dass aus dieser Veränderung etwas Neues und Aufregendes entsteht.

Das Große Rad der Zeitalter dreht sich – und zwar nicht zum tragischen Ende aller Tage, auf das man euch lehrt, eure Vision der menschlichen Evolution zu fokussieren. Nein, es dreht sich auf Neuanfang. Die alten Zeiten können der Stärke und der schieren Pracht des Neuen nicht standhalten, und so müssen sie weichen oder sich in den Energien, die nun kommen, selbst zerstören – Energien, die den Lauf der Zivilisation leiten und euch allen neue Werkzeuge zur Verfügung stellen, mit denen ihr euer Leben neu erschaffen könnt.

Eines dieser Werkzeuge, das vielleicht wichtigste, wird darin bestehen, dass offener Kontakt – eindeutiger und weltweiter Austausch mit außerirdischen Rassen – eure Zivilisation in außergewöhnliche neue Höhen katapultieren wird. Wir wollen euch mitteilen, dass ihr noch miterleben werdet, wie die Menschheit mit Wesen von Nachbarplaneten und aus anderen Sternensystemen interagiert – und dabei wird es sich um einen positiven Austausch handeln. Ihr werdet Zeugen sein, wie die Reichweite der Menschheit ihre Grenzen sprengt, ihr eure Ängste und Verzweiflung hinter euch lasst und ihr angeleitet werdet, mutig die Grenzen und Mauern eurer geistigen, emotionalen und physischen Begrenzung zu überwinden. Kurz darauf werdet ihr dann die kosmische Fahrt durch den Astralkanal eurer Sonne in die nächste Dimension antreten.

Die Feststellung, dass es viel gibt, auf das ihr euch freuen könnt, ist eine unvergleichliche Untertreibung!

Denkt daran, dass der Enthüllungsprozess nicht dem entsprechen wird, worauf sich auszumalen die Gesellschaft programmiert ist: bedrohliche außerirdische Raumschiffe, die über euren Hauptstädten schweben, Truppen von Besuchern aus dem Weltall, die in eure Metropolen einmarschieren. Das ist ein abgekartetes Spiel, ein Terrormodell, und ihr wisst, dass euch jene, die die Kontrolle haben, unbedingt in einem Zustand ständiger Panik halten wollen, damit sie euch weiterhin die Illusion einflößen können, dass sie (und nur sie) euch vor eben jenem Terror bewahren können.

Wie viele soziale und persönliche Freiheiten habt ihr im Namen der »Sicherheit« bereits aufgegeben?

Denkt daran, dass die letzte Terrorkarte im Stapel die Invasion Außerirdischer auf der Erde ist. Seid wachsam. Der Himmel ist eure neue Leinwand. Schon jetzt wird er genutzt, um holografische Visionen in eure Psychen zu projizieren, die Verwirrung bezüglich der Wahrheit über UFO- und Außerirdischen-Szenarien stiften sollen, sobald sich das Drama schließlich tatsächlich abspielt.

Zahlreiche Individuen begehren diese Informationen, darunter auch einige eurer alternativen Redner und »Forscher«. Also dreht euren Scharfsinnregler hoch und nutzt ihn, um das Offensichtliche vom Erhabenen zu trennen. Das hier wird nämlich keine Blockbuster-Produktion. Wenn ihr wirklich aufmerksam seid, werdet ihr erkennen, dass die offensichtlichen, stereotypischen Porträts, die an den Himmel projiziert werden, für euch so deutlich erkennbar sind wie dicke Plastikfasern in einem feingewobenen Wandteppich. Wenn ihr aber auf die feinen Seidenfäden achtet, dann erkennt ihr, wo sich das wahre Bild zeigt.

Ihr verfügt über so viele wunderbare Dinge, mit deren Hilfe ihr jetzt eine ganz neue Form des Menschseins bilden könnt. Innerhalb so weniger Jahre wird so vieles an die Oberfläche kommen. Es ist ein Wendepunkt für die Gesellschaft im Ganzen, und es ist Teil der unglaublichen Energie, die euch durch die Kanäle der aufsteigenden Sonne katapultiert.

Das Ende der alten Zeiten wird enthüllt. Jetzt, in diesem Augenblick, erscheinen die neuen Zeiten am Horizont. Auf manche mögen sie angsteinflößend, chaotisch, labil wirken. Andere sehen das Licht strahlender Tage vor sich liegen.

Worauf liegt euer Fokus?

Wir haben euch gezeigt, dass sich euer Fortschreiten in die vierte Dimension nun nach und nach manifestiert – mangels eines umfassenderen Begriffs zur Umschreibung der Schnittstelle zwischen den Dimensionen könnte man sagen, ihr befindet euch an den äußersten Rändern. Dort, wo ihr euch im Augenblick befindet, scheint ihr immer noch stark an der dritten Dimension zu haften, und dennoch entsteht ein wachsendes Bewusstsein dafür, dass überall um euch herum dramatische Veränderungen stattfinden. Ihr befindet euch am Rand und schlagt während dieses schwierigen, aber aufregenden Übergangs die Brücke zwischen dritter und vierter Dimension. Zunehmend erlebt ihr Sprünge im Raumzeitkontinuum und tretet bewusst in Kontakt mit Alternativuniversen und -realitäten, die in euer zunehmendes Gewahrsein hinein- und wieder hinaussickern.

Ein festentschlossenes und hochorganisiertes Netzwerk, das die Absicht verfolgt, euch in niederen Frequenzen festzuhalten, öffnet Portale auf der niederen Astralebene, durch die Entitäten in eure Realität eindringen können, deren Anwesenheit alles andere als wünschenswert ist. Aus den Lichtreichen strömen aber auch Wesen von immensem Licht und gewaltiger Schönheit durch die Tore, die in euer Sonnensystem führen, durch das gewaltige Portal, das sich im multidimensionalen Sternensystem von Sirius befindet – das Tor eurer Galaxis.

Um euch herum ereignet sich so vieles, dass ihr nicht umhinkommt, hin und wieder Beunruhigung zu empfinden. Wir möchten euch einladen, diese Beunruhigung kennenzulernen, sie zu erkunden und zu begreifen, dass zwischen Sicherheit und Ausgeglichenheit ein großer Unterschied besteht. Sicherheitsdenken sperrt euch in eine Seinsweise ein, die zu verhindern versucht, dass der Status Quo durch Veränderungen gestört wird. Ausgeglichenheit findet das Gleichgewicht zwischen der Bereitschaft, Veränderungen mitzumachen, und zwar mit der Anmut und der Furchtlosigkeit, die aus innerer Stärke und schrankenloser Liebe zu allen Dingen … und allen Wesen entspringen.

Euch alle – Lichtarbeiter, Sternensaat, strahlende Seelen – rufen wir auf. Lasst ruhige Wasser eure Emotionen lindern. Lasst das Licht konkreter Hoffnung euren Geist erfüllen. Setzt eure Segel gen Horizont. Die Erde dreht sich. Trotz der Instrumente der Fehlgeleiteten und der Ängste verlorener und abgelenkter Seelen dürft ihr nicht vergessen, dass alles einer göttlichen Ordnung folgt: So war es immer, ist es immer und wird es immer sein.

Unsere Liebe umgibt euch.

Wir sind die Sprecher des Hohen Rats vom Sirius und beenden hiermit unsere Übermittlung. Wir verlassen euch einstweilen voller Dankbarkeit für unsere Übermittlerin Trydjya von Antares und voller Freude über den wunderbaren menschlichen Geist, mit dem wir durch diese niedergeschriebenen Worte und Energien, die aus der sechsten Dimension in eure im Übergang befindliche Welt überbracht wurden, in Kontakt getreten sind.

»Sieh doch nur … direkt vor uns.
Das ist das Zeitalter der Erleuchtung.
Wende dich nach links, zum nächsten Stern,
und du bist dort …
Das ist unser Erbe.«

PATRICIA CORI

Ein Augenblick des Zen

Video-Botschaft des Mediums

transkribiert, übersetzt und für den Leser

eingerichtet von Thomas Görden

»Wir, die wir seit Generationen
den Planeten Erde
bewohnen, sind privilegiert. Nicht,
weil wir zu den Reichen oder
zum Adel zählen, sondern weil wir
hier sind. Genau jetzt.
Wir bereiten uns darauf vor,
vollkommen bewusste Bewohner
dessen zu werden, was wir
allmählich als Multiversum
zu verstehen lernen, angefüllt mit
unzähligen Spezies und
unendlich vielen Populationen
empfindsamer,
intelligenter Lebewesen.«

PATRICIA CORI

Vor gar nicht langer Zeit herrschte im Internet, in der ET-Community, große Aufregung bezüglich einer in der *New York Times* veröffentlichten Information über das geheime Programm zur Erforschung außerirdischer Aktivitäten, das auf den höheren Ebenen der Geheimregierung stattfindet. Ich betrachte alles, was von der Regierung kommt, sei es von Personen, die sich noch in diesem System befinden, oder von solchen, die früher Bestandteil des Systems waren, mit größter Skepsis.

Linda Moulton Howe, die seit vielen Jahren als Enthüllungsjournalistin arbeitet, hat berichtet, wie verblüfft die Person, die diese Sache öffentlich machte, über die erstaunlichen Bewegungen dieser Flugobjekte war: dass sie 90-Grad-Wendemanöver durchführen können, in einem Augenblick sichtbar und dann wieder verschwunden sind. Ich fand das wirklich bemerkenswert, weil ich zuvor schon mehrfach darüber gesprochen habe, dass die Flugobjekte in der Lage sind, solche 90-Grad-Bewegungen durchzuführen, was nach unserem gegenwärtigen Wissen physikalisch eigentlich unmöglich ist.

Ich habe den Eindruck, dass das Interesse an dem Wissen, dass die Sirianer uns seit einiger Zeit mitteilen, noch nie so groß war wie heute. Ich denke, wir brauchen dringend positive, inspirierende Informationen darüber, wohin wir unterwegs sind. Wenn wir die ganze Fülle an unterschiedlichen Informationen betrachten, die von Absurditäten über hoch wissenschaftliche Erkenntnisse bis zu den Veröffentlichungen von Regierungsbehörden reichen, bringen uns die Botschaften des Hohen Rates vom Sirius die Wahrheit, wie ich und viele andere Menschen sie verstehen. Diese Wahrheit bedeutet, dass einige schwierige Herausforderungen auf uns alle zukommen. Doch gleichzeitig erhalten wir diese wunderbar positiven Botschaften. Hoffnung und Kraft sind Schlüsselwörter, mit denen sich der Inhalt der neuen gechannelten Botschaften in vielerlei Hinsicht beschreiben lässt.

Die Sirianer gehen darin auch auf jene Flugobjekte ein, die gerade für Aufmerksamkeit sorgen. Sie erklären uns, wie diese Flugobjekte sich durch den Raum bewegen. Dieser Raum, wie wir ihn kennen, ist nicht der Raum, wie *sie* ihn kennen. Wir sollten uns für den Gedanken öffnen, dass der Raum in Wirklichkeit multidimensional ist.

Vom Hohen Rat des Sirius haben wir erfahren, dass wir zunächst unsere eigene physische Welt erkunden müssen, wenn wir verstehen wollen, wie Fortbewegung und Antrieb im Gitternetz des Weltraums möglich sind. Der große Makrokosmos und die mikrokosmische Repräsentation aller Schöpfung sind in Wahrheit eins. Subatomare Elemente zu beschleunigen setzt Energie frei, Materie heizt sich auf und expandiert. Die Elemente zu verlangsamen, bewirkt das Gegenteil: Sie kühlen ab und ziehen sich zusammen. Wenn wir das meistern, so sagt uns der Hohe Rat, werden wir in der Lage sein, durch den Weltraum zu reisen.

Es geht darum, den subatomaren Aufbau und das Verhalten von Materie zu verändern, ganz so, als würde der Raum vor dem Raumfahrzeug in der Mikrowelle erhitzt, und der Raum dahinter abgekühlt, so dass er sich zusammenzieht. So kann ein Schiff nach Belieben vorwärts und rückwärts fliegen. Dabei geht es eher darum, den Raum zu verändern, als um das Schiff selbst.

Es ist so einfach, wenn man darüber nachdenkt! Die meisten von uns wissen aus der Schule, dass Moleküle sich bei Erwärmung ausdehnen und bei Kälte zusammenziehen. Das geniale Rezept besteht also darin, den Raum selbst zu verändern. Man braucht keine komplizierten Maschinen – diese riesigen Penisse, die man aufrichtet und ins All schießt – und keine großen Steuerzentralen wie Houston oder geheime Raketenbasen. Alles, was wir tun müssen, ist den Raum verstehen und beeinflussen. Das betrifft auch die Antigravitationstechnik, von der wir ja glauben, dass sie in UFOs genutzt wird. Bewegungen in jede Richtung können mit Hilfe von Technologien ermöglicht werden, die den Raum um das Fahrzeug herum verändern. Nach den Artikeln in der *New York Times* wird heftig diskutiert, wie es möglich sein kann, dass diese Objekte 90-Grad-Kehren fliegen können.

Wissen Sie, ich habe so etwas schon mit eigenen Augen gesehen. Ich besuchte vor ein paar Jahren mit einer Reisegruppe von fünfzig Personen den Tempel der Hatschepsut. Wir meditierten dort gemeinsam draußen vor dem Tempel, dann sagte ich: »Hört auf zu meditieren, öffnet die Augen!« Und ich rief: »Bitte, kommt! Zeigt euch! Ihr habt mir schon so viel geschenkt. Bitte kommt für diese Menschen hier.«

Und sofort erschien über uns am Himmel eines ihrer Raumschiffe. Wie aus dem Nichts tauchte dieses riesige Licht auf und schwebte über unseren Köpfen durch die Luft. Jemand rief: »Verdammt, was ist denn das?« Und im nächsten Moment flog das Schiff ein 90-Grad-Manöver. Jemand aus unserer Gruppe rief: »Unglaublich!« Da flog es noch so ein rechtwinkliges, blitzschnelles Manöver und schwebte anschließend davon.

Wenn wir also ein UFO am Nachthimmel solche 90-Grad-Manöver fliegen sehen, wissen wir nun, welche Methode sie dabei anwenden. Auf der Erde verfügt noch keine Organisation über diese technologischen Fähigkeiten. Wenn wir solche Flugmanöver beobachten, wissen wir folglich, dass es sich, jedenfalls nach aktuellem Stand noch, um außerirdische Schiffe handeln muss. Das ist durchaus wichtig zu wissen, denn ich bin überzeugt, dass viele merkwürdige Flugobjekte, die heute beobachtet werden, von Menschen gebaut wurden. Es mag sich um Nachbauten abgestürzter außerirdischer UFOs handeln, die an Orten wie der Area 51 versteckt werden. Es kann auch neu entwickelte menschliche Supertechnologie sein. Aber der

Hohe Rat sagt uns ganz klar, dass bislang kein irdisches Fluggerät in der Lage ist, diese 90-Grad-Manöver zu fliegen, weil unsere Ingenieure und Wissenschaftler die wahre Natur des Raumes noch nicht erkannt haben.

Bei dieser absichtlichen Expansion des Raums in eine bestimmte Richtung entstehen Tunnel oder Röhren, durch die dann die Reise erfolgt. Allerdings kommen solche Tunnel oder Ventile im Raum auch als natürlich auftretende Feldphänomene vor. Alle biologischen Formen weisen in ihrer Konstruktion irgendeine Form an Aufnahme- und Ausscheidungsröhren auf. Auch unsere physische Beschaffenheit ist ein Kontinuum von Röhren, Tunneln und Schläuchen: Blutbahn, Lymphbahn und die Aufnahme- und Ausscheidungskanäle für Nahrungsmittel, dazu noch unsere neuronalen Datenbahnen. Energie durchläuft die Röhrenkonstrukte unseres Körpersystems, um alle Aspekte unseres Seins durch biologische Aufnahme zu nähren und allen überflüssigen Abfall auszuscheiden.

In welchem Zusammenhang steht das nun zu Flugobjekten und Weltraumreisen? Röhren oder Tunnel im Weltraum sind mehr als einfach nur willkürlich vorhandene Energievortexe oder Energieportale, obwohl auch diese von Natur aus im All vorkommen. Sie dienen vielmehr als Konstrukte, die von intelligenten Arten sorgfältig entwickelt wurden, um sich mit einer Geschwindigkeit, Leichtigkeit und Bequemlichkeit von Planet zu Planet, von Sternensystem zu Sternensystem bewegen zu können, die für uns Menschen mit unserem aktuellen Bild von »Raumfahrt« kaum vorstellbar ist. Einige dieser Autobahnen sind relativ dauerhaft, andere existieren nur kurzfristig und werden von besonders kenntnisreichen außerirdischen Astronauten und Raumfahrtingenieuren genutzt.

Um das zu veranschaulichen, benutzt der Hohe Rat vom Sirius ein faszinierendes Bild: Stellen Sie sich vor, Sie wären Miniaturreisende, die versuchen, einen Laib Schweizerkäse zu durchqueren – dann würden Sie doch wohl, statt sich mühsam durch die dichte Matrix zu graben, einfach von einem Loch zum nächsten schlüpfen, bis Sie den Ausgang erreichen, oder nicht? Und wenn Sie schnell von einem Ende einer Stadt zum anderen gelangen wollen – wozu sich dann durch den dichten Straßenverkehr voller Hindernisse quälen, wenn es eine Möglichkeit gibt, diesem durch einen wenig benutzten unterirdischen Tunnel elegant auszuweichen? Energetisch ist es am ökonomischsten, den kürzesten Weg von einem Punkt zum anderen zu nehmen. Das ist das einfache und dennoch häufig übersehene Paradigma, das hinter der Konstruktion solcher Tunnel steht – in allen Feldern, Reichen und Universen.

Wie unsere Regierungen die Raumfahrt in der Öffentlichkeit derzeit noch darstellen und dass sie leugnen, dass es zu Besuchen von Außerirdischen kommt, liegt in ihrem begrenzten Verständnis für den unendlichen Raum und die Dimensionen begründet. Es ist ein Verständnis, das die Distanzen zwischen den Welten nach wie vor als unüberwindlich begreift, zumindest, was intergalaktische Kontaktaufnahme betrifft. Man zeigt uns veraltete Raumschiffmodelle, die einen gewaltigen Antrieb benötigen, um der Erdanziehungskraft zu entgehen, und nur relativ kurze Distanzen zurücklegen können, ehe sie nach Hause zurückkehren.

Der Hohe Rat hält eine andere Wahrheit für uns bereit: Sie lautet, dass es bereits jetzt irdische Raumfahrt-Teams gibt, die weit jenseits solcher nutzlosen Übungen agieren. Schon vor dem Zweiten Weltkrieg waren sie in der Lage, durch die Zeit zu reisen, und mit den Technologien, die sie aus der »Zukunft« mitbrachten, wollen sie auf eine Entwicklung hinarbeiten, die sie dort gesehen zu haben glauben: die Erde als eine robotergesteuerte, unbelebte Rohstoffgewinnungsstation im Weltraum.

Der Hohe Rat betont, wie wichtig es ist, dass wir uns Folgendes klarmachen: Diese Zeitreisenden des Militärs begreifen nicht, dass das, was sie gesehen haben, entgegen ihrem Glauben nicht die Zukunft der Erde war. Stattdessen sind sie zu einer Simultanerde gereist, auf der dieses Szenario bereits Wirklichkeit ist – ein Ereignis, das Bezug zu ihrem Glaubenssystem und ihrer Programmierung hat. Es dürstet sie so sehr nach einem derartigen Ausgang der Geschichte, dass sie selbst dabei geholfen haben, eine Parallelwelt oder, genauer gesagt, Spiegelwelt zu eurer zu erschaffen, in der diese Entwicklung eingetreten ist.

Die Sirianer versichern uns, dass in keinem Seinszustand und keiner Dimension ein Röhrenkonstrukt existiert, das nicht als Matrix dient, durch die Energie von einem Raum oder einem bestimmten Dichtegrad zum anderen fließt. Wohin aber ein Wurmloch oder Tunnel im Weltraum führt und was am anderen Ende auf die Raumfahrer wartet, hängt allein von ihren Absichten ab, davon, ob sie als Forscher, Handlungsreisende oder Invasoren kommen.

Von dem, was der Hohe Rat zu diesem Thema mitteilt, strahlt eine große, überzeugende Kraft aus. Das ist jedenfalls mein Eindruck. Bei den Informationen zu unbekannten Flugobjekten, die jetzt in den Medien kursieren und für Aufregung sorgen, rate ich zu einer gewissen Vorsicht. Glauben Sie nichts unkritisch, sondern vertrauen Sie auf Ihr eigenes Urteilsvermögen. Ich persönlich finde es auch aufregend, dass jetzt mehr Informationen an die Öffentlichkeit gelangen. Aber ich werde nicht einfach glauben, was uns die Regierungen oder Informanten erzählen, oder das, was in den Medien »durchsickert«.

Ich empfinde es als großes Geschenk, dass mir die Gelegenheit gegeben wird, eine so energiereiche Quelle wie den Rat der Sirianer zu channeln, der so viele wertvolle Erkenntnisse für mich und für uns übermittelt. Deshalb begrüße ich es sehr, dass Sie sich aus dieser Quelle informieren. Manche Leute sind ganz außer sich wegen dieser neuen Informationen in den Medien. »Sind das wirklich Aliens?«, fragen sie sich. »Wie kann es sein, dass sie so schnell fliegen können?« Das heißt also: Wir fragen uns tatsächlich noch immer, *ob* es Außerirdische gibt? Vor mehr als zwanzig Jahren habe ich in den USA das erste Buch mit Botschaften des Hohen Rates vom Sirius veröffentlicht. Die sirianische Offenbarung begann damals genau mit diesem Gedanken.

Ich möchte Sie noch einmal bitten, über diese wichtige Information nachzudenken: Sie können den Raum verändern, wenn Sie verstehen, dass der Raum lebendig ist, dass er, wie alles, von Bewusstsein erfüllt ist. Stellen Sie sich den materiellen Aspekt des Raumes als eine Form von Bewusstsein vor. Er ist nicht formlos. Das wurde von unseren Wissenschaftlern noch nicht verstanden. Und es ist doch so essenziell! Der Raum ist *kein* leerer Wirbel. Er ist voller Leben, voller Planeten, Sterne und Sternenstaub, enthält Moleküle, Kohlenstoff, Wasser. Alle Elemente des Lebens, einschließlich des Bewusstseins, existieren im vermeintlich leeren Weltraum.

Staunen Sie also nicht zu sehr über diese jetzt in den Massenmedien auftauchenden Flugobjekte, sondern denken Sie darüber nach, was der Hohe Rat uns sagt: Wenn wir lernen, den Raum zu verändern, können wir uns in ihm und durch ihn nach Belieben fortbewegen. Und da ist noch etwas Wichtiges: *Aliens oder Außerirdische kommunizieren sehr wahrscheinlich telepathisch mit dem Bewusstsein des Raumes.*

Wir treten gegenwärtig in eine neue Phase ein, in der es für uns möglich wird, unsere Wahrnehmung zu erweitern, so dass wir *alles* wahrnehmen können. Von nun an sollten wir den Raum als eine Bewusstseinsform wahrnehmen, die verändert werden kann, formbar ist, entweder auf der molekularen, subatomaren Ebene oder indem wir lernen, mit dieser unendlichen, bewussten Entität zu kommunizieren. Also, schnallen Sie sich an, denn in unserer Realität wird es in nächster Zeit ziemlich wild zugehen! Verlassen Sie diese dichte, problematische Dualität und erleben Sie mehr und mehr die neuen Dimensionen, die höheren Dimensionen.

Zum Abschluss möchte ich Ihnen noch sagen, wie sehr die Liebe, die von Ihnen allen zu mir strömt, mein Herz erfüllt. Und wenn ich zu Ihnen sage, dass ich Ihnen meine Liebe sende, ist das wirklich aufrichtig gemeint. Danke! In dieser Phase meines Lebens ist es gut zu wissen, dass so viel Liebe zu mir zurückkommt.

Danke, ihr Engel!
Gebt gut auf euch acht.

Fragen an den Hohen Rat vom Sirius

gestellt von Lesern und vom
AMRA-Verleger Michael Nagula

»Ihr Lichtkreise auf der ganzen Welt,
ihr Lichtarbeiter, die ihr meine Bücher lest
und an meinen Seminaren teilnehmt,
ich danke euch sehr … für euer Vertrauen,
euer Gespür für Wahrheit und Demut
und dafür, dass ihr die Weisheit
der Sirianer feiert.
Wir verbreiten das Licht auf
diesem großartigen Planeten
und verbinden die Punkte miteinander.«

Patricia Cori

Liebe Leserinnen und Leser,

es war ein Glückstag, als uns vor ziemlich genau elf Jahren ein großartiges Projekt der Frankokanadierin Martine Vallée bekannt wurde. Vier Bücher lang – jedes Jahr eines – wollte sie in ihrem eigenen Verlag durch die Botschaften von Channelmedien auf die neue Energie des Wendejahres 2012 hinführen, und der Träger dieses Konzepts, der in allen vier Büchern vertreten sein sollte, war kein Geringerer als Lee Carroll.

Bereits der erste Band, *Die Große Veränderung*, war etwas ganz Besonderes, denn neben Kryons Botschaften enthielt er Material von Tom Kenyon und Patricia Cori. Martines Buch erschien zunächst auf Französisch, aber sie stellte uns die US-Manuskripte zur Verfügung, die wir der deutschen Ausgabe zugrunde legten. Tom und seine Frau Judi hatte ich schon auf einer ihrer Veranstaltungen kennengelernt und ihr erstes Buch bei uns war in Vorbereitung, von Pat und dem Hohen Rat vom Sirius hatte ich aber noch nichts gehört.

Dann erschien der zweite Band, *Das Bewusstsein der Neuen Zeit*, in dem sie erneut vertreten waren, und im vierten Band, der einfach nur *Neue Zeit* hieß, brachten die Sirianer nach den Channelings von Lee, Tom und James Tyberonn, der ein Kanal für Metatron ist, das gesamte Konzept in einem Nachwort noch einmal auf den Punkt. Diese Texte der Sirianer beeindruckten uns sehr und wir hielten mit Pat Kontakt, was dazu führte, dass wir kurz darauf auch *Bevor wir euch verlassen* herausbrachten, in dem Pat den ebenfalls vom Sirius stammenden Walen und Delfinen ihre Stimme lieh. Danach sollte es leider eine Weile dauern, bis neue Channelings des Hohen Rates durchkamen, aber als es soweit war, gab es kein Halten mehr – und der erste Band der *Lichtbotschaften vom Sirius* erschien.

Wir hatten gehofft, aber nicht erwartet, dass die Resonanz so groß sein würde. Bereits unmittelbar nach Erscheinen begannen einige Leser, Fragen über die Sirianer zu stellen und wollten wissen, welchen Stellenwert sie für unser Leben auf der Erde und unseren Aufstieg haben. Als wir diese Fragen an Pat weiterleiteten, stellte sich heraus, dass ihre amerikanischen Leser auf ganz ähnliche Weise reagiert hatten, und sie ließ uns Material zukommen, in dem sie einige der wichtigsten Fragen bereits beantwortet hatte. Gleichzeitig forderte sie mich auf, ihr ebenfalls meine ganz persönlichen Fragen zu stellen, die sie dem Hohen Rat zur Beantwortung vorlegen wollte. Dankbar nutzte ich diese Möglichkeit, um einige Querverbindungen zu erhellen, die sich bei meiner Arbeit als Verleger spiritueller Themen ergeben hatten. All diese Fragen und Antworten stellte Pat schließlich selbst in einem neuen Manuskript zusammen, das sie uns zur Verfügung stellte – und das wir Ihnen hiermit als Teil des zweiten Bandes der *Lichtbotschaften vom Sirius* vorstellen dürfen.

Um eines vorwegzunehmen: Unser Sternensystem, das die Sirianer Ra nennen, ist energetisch mit dem Sternensystem des Sirius verbunden. Die Sirianer haben uns während unserer gesamten kulturellen Entwicklung begleitet, und es ist mir ein besonderes Anliegen, nicht nur Pat für ihre großartige Arbeit, ihre Freundlichkeit und Unterstützung zu danken, sondern auch den Sirianern, ohne die unsere Welt nicht im Entferntesten so schön wäre, wie sie es ungeachtet aller sonstigen Umstände nun einmal ist.

Ich danke unseren Freunden vom Sirius aus tiefstem Herzen.

Euer
Michael Nagula

Wir sind sehr dankbar für alles, was ihr für die Menschheit tut. Was für ein Segen ist es nur für uns, dass ihr euer Licht auf uns leuchten lasst, besonders im Augenblick. Würdet ihr uns die Freude bereiten, mehr über euch erfahren zu dürfen? Wer sitzt im Hohen Rat vom Sirius? Und welches übergeordnete Ziel verfolgt ihr?

Wir sind eine Delegation von Lichtwesen aus der Galaktischen Föderation, die mit dem sechsten Dichtegrad mitschwingen. Unsere Gruppe besteht aus einhundertvierundvierzig Abgeordneten, darunter:

- Erleuchtete Erdenseelen
- Aufgestiegene Sirianer von Satais (zu ihnen zählen die drei Hauptsprecher, die mit unserem Channelmedium Trydjya arbeiten)
- Außerirdische, die von Christusenergie erfüllt sind
- Aufgestiegene Delfinwesen und die großen Wale: die Q'iquoq'i
- Aufgestiegene Meister (die Aufseher)
- Engelwesen (die Wächter)
- Meister der Führungselite von Agharta

Unsere Absicht besteht darin, das Bewusstsein in dem Multiversum zu erhöhen, von dem wir ein Teil sind. Wir helfen, wo wir können, und versuchen, so viel wie möglich darüber herauszufinden, was uns bevorsteht. Jene, die uns voraus sind, helfen wiederum uns dabei, den Weg ins strahlende Licht zu finden. Dies ist der ewige Prozess der Seele, die auf ihrer Reise der unendlichen Wiederkehr immer höher steigt – ein Prozess ohne Anfang und Ende.

Es bewegt mich sehr, dass es bei euch in der sechsten Dimension Wale und Delfine gibt. Euer Buch Bevor wir euch verlassen *wäre* *herzzerreißend, wüsste man nicht, dass sie von den höheren Dimensionen aus weiter mit uns arbeiten werden, zusätzlich zu der wunderbaren Arbeit, die sie hier unten auf der Erde leisten.**

Die großen Wale und Delfinwesen – eine Familie hochentwickelter Geschöpfe, die man auch Q'iquoq'i nennt –, existieren auf vielen Planeten und in vielen Dimensionen. Sie sind die galaktischen Weber von Schwingungen und Liedern. Sie sorgen für das Gleichgewicht der emotionalen Körper verschiedener Wasserplaneten und arbeiten mit Wassermolekülen und Sand-, Salz- und Mineralkristallen, damit der Himmel weiter auf seine Ur-Essenz eingestimmt bleibt.

Und wir lieben sie so sehr.

So wie auch wir.

Wenn ich eure Botschaften lese, die von unserer multidimensionalen Realität berichten und beschreiben, wie wir uns alle energetisch verschieben und neue Bereiche wahrnehmen, frage ich mich, ob ihr wohl genauere Details über euer Sternensystem übermitteln könntet, das sich aus drei Sirius-Sternen in drei verschiedenen Dimensionen zusammensetzt.

Das tun wir gerne. Du sollst wissen: Nur einer von den drei strahlenden Sternen des Siriussystems befindet sich nach wie

---

* Das genannte Buch, *Bevor wir euch verlassen* (2013), enthält – vermittelt durch den Hohen Rat vom Sirius – Botschaften der Wale und Delfine. Sie bezeichnen sich als Q'iquoq'i und stammen selbst vom Sirius. Wir erfahren darin erstmals aus ihrer Sicht, welches Leben sie in den Ozeanen führen und ihre Rolle im größeren Zusammenspiel der Welten. Achtzehn farbige Klangbilder, entstanden aus ihren Sonarwellen, laden zur Meditation ein. Leseproben auf www.AmraVerlag.de.

vor im physischen Reich, das ihr aus eurer dreidimensionalen Perspektive kennt. Dieses Himmelsfeuer wird in euren wissenschaftlichen Kreisen als »Sirius A« bezeichnet. Wir Sirianer kennen es als die Gottheit Sothis, und dasselbe galt für die alten Ägypter, die viel über unsere Zivilisationen und ihre Sternensaatverbindung zu uns wussten.

Sothis liegt in einem Quadranten des Weltraums, den ihr als das Sternbild »Großer Hund« kennt. Man könnte also sagen, dass Sothis in der Milchstraßengalaxis eurem Sonnensystem direkt »vorgelagert« ist. Sothis‘ Sternenfeld ist stark aufgeladen, und ihre starken elektromagnetischen Strömungen fließen direkt über Ra (also euer Sonnensystem) hinweg. So beeinflusst Sothis die Sonnenaktivität und die Reaktionen aller Planeten, aus denen sich eure Sonnenfamilie zusammensetzt.

Wir, die im Hohen Rat vom Sirius sitzen, sind Lichtkörperwesen, die den Aufstieg des Sirius-Schwesternsterns Satais aktiv miterlebt haben. Satais wurde erst kürzlich von euren Wissenschaftlern als »Zwergstern« anerkannt und mit dem Namen »Sirius B« versehen. Wir haben uns das Unvorstellbare vorgestellt, haben gewusst, was man nicht wissen kann ... und sind aus eurem Dichtegrad ins Licht vorangeschritten.

Jenes monumentale Himmelsereignis – der Übergang von Satais durch den Astralkanal, durch den sie ihren physischen Ausdruck mit ihrer höheren Seelenschwingung verband – sendete unbeschreibliche Energiewellen durch all jene dreidimensionalen Felder, mit denen sie bis zu dem glorreichen Augenblick, in dem sie das materielle Universum verließ, mitgeschwungen hatte.

Als Satais ihren physischen Körper abstreifte, setzte sie unbeschreibliche Mengen ihrer dichteren Gase (Elemente, die schwerer sind als Wasserstoff) frei. Diese schossen durch die von euch sogenannte Milchstraßengalaxis, während Satais‘ gesamtes System seinen physischen Mantel ablegte und zu einer neuen Station in den höheren Reichen des bewussten Gewahrseins aufstieg.

Eure Sonnengottheit Ra, die direkt dahinter gelegen ist, wurde dadurch stark beeinflusst, ebenso wie die benachbarten Sterne, die in ihrer Komplexität eine Sternengalaxis bilden, indem sie in dem Bewusstseinsfluss, aus dem das kosmische Meer besteht, Energie austauschen, abstrahlen und annehmen.

Dieser interstellare Energieaustausch zählt zu den fundamentalen Aspekten der Verbindung zwischen Sirius und Ra. Er ist der himmlische Hintergrund für unser bewusstes Engagement für die fühlenden Wesen eures Sonnensystems.

Bezüglich der Interaktion von Sirius mit den Ereignissen auf unserem Planeten kursieren zahlreiche widersprüchliche Informationen. Viele Leute sprechen vom »Planeten« Sirius und nicht vom Stern oder Sternensystem. Andere bezeichnen die Sirianer nicht als »Lichtwesen«, sondern als »dunkle Krieger« und warnen vor eurem Eingreifen in irdische Angelegenheiten.

Könnt ihr etwas mehr Licht auf die Dynamiken und die Konfiguration des Sirius-Sternensystems und die Rolle werfen, die Sirius derzeit für die irdischen Angelegenheiten spielt?

Unsere Sternenfamilie ist komplex: eine multidimensionale Dreifaltigkeit aus Paralleluniversen, in denen unsere drei Sterne aktuell mitschwingen. Entsprechend »prägt« die sirianische Schwesternschaft den Kosmos mit der Schwingungssignatur eines nichtlinearen Fraktaldesigns und ist dadurch ständig an der Schöpfung des multidimensionalen Universums in einem atemberaubenden Spektrum stellarer und planetarer Harmonien und kosmometrischer Proportionen beteiligt.

Vielleicht versteht ihr nun, warum wir das Konzept der Triangulierung und der dynamischen Zwischenbeziehungen von Aspekten, die den numerischen Abdruck von Drei bilden, so ansprechend finden ... und warum es so bedeutsam für das Wissen ist, das wir mit euch zu teilen versuchen, indem wir durch unser Instrument – das Channelmedium, das unsere Botschaften an euch übermittelt – mit euch kommunizieren.

Das Ganze wird durch das kombinierte Bewusstsein unserer drei stellaren Gottheiten definiert – und damit ist auch der evolutionäre Fortschritt einer jeden von ihnen definiert durch das Ganze – die Schwesternschaft der Drei.

Wenn wir die Metapher einer Sinfonie verwenden dürfen, ließen sich die drei Schwestersterne am besten als Akkord aus drei harmonierenden Noten auf der diatonischen Skala beschreiben, die jeweils in einer unterschiedlichen Oktave angeschlagen werden. Bitte stellt euch vor, dass jeder dieser Sterne ein Spiegelbild des anderen ist und der stellare Bezugsrahmen eine multidimensionale Merkaba für Licht, Klang und Seele bildet. Diese Musik schallt auf ewig durch die Dimensionen und vereint alle Bewusstseinseinheiten dieser Himmelssphäre – ein Bassakkord in der Musik der Unendlichkeit.

Zu einer Einheit vereint (denn wir sind eins, trotz aller Unterschiede), bilden alle bewussten Wesen aus dem Reich den Chor und erschaffen eine überlagernde Melodie, während das Orchester – dirigiert von der schöpferischen Urkraft – das Lied der Schöpfung spielt.

Könnt ihr uns erklären, ob Sirius A derzeit von Planeten umkreist wird, und falls ja, ob es dreidimensionale Wesen von diesen Planeten gibt, die in die menschliche Evolution involviert sind? Ich wüsste außerdem gerne, ob auch die aufgestiegenen Sterne noch immer von Planeten umkreist werden.

Lasst uns zunächst eure erste Frage zur Sternenkomposition von Sirius und den Planeten der jeweiligen Sternengottheiten mit all ihren Besonderheiten angehen:

Sothis (Sirius A) strahlt in eurer dreidimensionalen, holografischen Galaxis als hellstes Licht eurer nördlichen Hemisphäre – weitaus heller als euer eigener Stern Ra. In linearen Begriffen ist Sothis der fünftnächste Stern zu eurem.

Derzeit schwingt Sothis in der dritten Dimension und ziert euer Himmelszelt mit dem strahlenden Licht, das seit der Zeit eurer Empfängnis bereits ganze Zivilisationen von *Homo sapiens* inspiriert hat – so wie auch andere Spezies auf den Schwesterplaneten eures Sonnensystems, die den physischen, spirituellen und geistigen Körper Ras bilden.

Einst war Sothis der Schwerkraftanker für mehrere erdähnliche Planeten, auf denen für alle Arten von Lebensformen reichlich flüssiges Wasser vorhanden und das Klima warm und feucht war – ähnlich wie in eurer Äquatorzone.

Extrem dichte Atmosphären schirmten die inneren Planeten von Sothis vor den sengenden ultravioletten Strahlen und Gasen ab, und so konnten auf den Planetenoberflächen unzählige Wasserspezies, aber auch eine unglaublich komplexe Fauna gedeihen: von den winzigsten einzelligen Amöben bis hin zu komplexen Wirbeltieren, von denen es auch auf der Erde viele gibt.

Zahllose Spezies, die das biologische Leben auf der Erde widerspiegeln (das, mit welchem ihr vertraut seid, und noch unzählige weitere, bislang unentdeckte Arten) existieren auf anderen Planeten, insbesondere innerhalb der Planetenfamilie eures Sonnensystems.

Die Organisation subatomarer Partikel folgt stets dem intelligenten Design der Schöpfung, und diese kosmometrischen Muster treten überall in Zeit und Raum und in allen Dimensionen auf.

Zahlreich sind die Kreaturen in euren Ozeanen – vom tiefen, dunklen Abgrund der Tiefsee bis zu den sonnengetränkten flachen Gewässern –, die sich auch in den weiten Ozeanen des Seelenkosmos tummeln.

Obwohl ihr zahllose Spezies eurer Ozeane studiert und beobachtet habt, müssen eure Meeresbiologen noch bis ins Detail verstehen, wie komplex Form und Verflechtung innerhalb der Meere sind. Sie haben noch nicht begriffen, wie das Zusammenspiel zwischen den Schichten aus Licht und Dunkel, Sopran und Bass, Absorption und Lichtbrechung funktioniert und wie das Bewusstsein vom Meeresboden zur Meeresoberfläche und wieder zurück verflochten ist.

Einige Meeresspezies leben so zurückgezogen in unzugänglichen Umgebungen, dass ihr euch ihre Existenz noch nicht einmal vorstellen könnt – und dennoch sind sie dort, so wie sie auch an anderen Orten im Kosmos existieren.

Leben existiert an Orten, an denen ihr es für unmöglich haltet – und zwar in eurer nächsten Nähe, nämlich in euren tiefsten Ozeanen, an Orten, die teilweise nicht die notwendigen Kriterien erfüllen, um von euren Wissenschaftlern (bislang) als Umgebungen eingestuft zu werden, in denen die Existenz von biologischem Leben »wahrscheinlich« ist.

Trotz der zahlreichen unterschiedlichen Glaubenssysteme, Spekulationen und Hypothesen eurer konservativeren wissenschaftlichen Stimmen versichern wir euch, dass es an verschiedenen Zwischenstopps in eurem Sonnenreich und jenseits davon Leben (in ähnlicher, teils aber auch ganz anderer Form als auf der Erde) im Überfluss gibt.

Leben ist die treibende Kraft im materiellen Universum. Es ist die essenzielle Natur des Universums! Alles ist Gedanke. Alles ist Bewegung. Alles ist Manifestation. Die Erde, die ihr in vielerlei Hinsicht immer noch als das Zentrum eures Universums betrachtet, ist nichts weiter als ein Tropfen im größten aller Ozeane – eine Sekunde in der Unendlichkeit zeitloser Schönheit.

Und was unseren dreidimensionalen Stern Sirius A betrifft: Wir bestätigen euch, dass sich in seinem erweiterten stellaren

Raum an diesem Punkt im Raumzeitkontinuum *kein* biologisches Leben befindet.

Was man euch über intelligente Wesen von Sirius A erzählt, die in irgendeiner Form »in euren Raum eindringen«, stimmt nicht mit der uns vertrauten sirianischen Realität überein.

Was dort existiert, lässt sich eher als eine »subatomare Datenbank« voriger biologischer Lebensformen beschreiben, die auf die passenden Koordinaten auf dieser Zeitachse warten, um sich wieder zu reaktivieren.

Deshalb beantworten wir deine Frage nachdrücklich mit der kollektiven Stimme des Hohen Rats vom Sirius, indem wir noch einmal wiederholen, dass es augenblicklich keine fühlenden Wesen aus diesem Reich – dem dreidimensionalen Aspekt der Dreifaltigkeit von Sirius – gibt, die in irgendeiner Weise in die menschlichen Angelegenheiten oder die biologischen Vorgänge auf der Erde eingreifen.

Satais (Sirius B) war einst der Riese der drei Sterne, die die Familie der sirianischen Sonnengottheiten bilden. Solange sich Satais im dreidimensionalen Reich befand, war sie der Leviathan der solaren Dreifaltigkeit, da sie Lebensträgerin von zwölf Satellitenplaneten war, die alle in höhere Dimensionen aufgestiegen sind.

Derzeit hält Satais die Schwingung der sechsten Dimension und die Lichtkörper der Planeten, die Satais umkreisten, nehmen weiterhin die Himmelskoordinaten – also die Harmonien – ein, die den dynamischen Aufbau dieses Systems widerspiegeln.

Nicht alle aufgestiegenen Sirianer leben hier bei uns in der sechsten Dimension, aber wir, die Sirianer aus dem Hohen Rat, kommen aus dieser Lichtfrequenz zu euch. Einige sind in die höheren Reiche aufgestiegen, andere sind zurückgekehrt in niedrigere Dichtegrade, um mit anderen Lebensformen zu arbeiten und dort das Bewusstsein darauf zu richten, Einklang zu erreichen – ganz ähnlich wie wir nun über unser Instrument Trydjya zu euch sprechen.

Das, was ihr in euren dreidimensionalen teleskopischen Feldern in Sothis' Umlaufbahn seht, ist die Skelettform dieses Sternenwesens, die als Markierung für das zurückgelassen wurde, was einst einen Bestandteil eures Dichtegrads bildete. Es ist schon lange in den Lichtkörper aufgestiegen, so wie auch die Planeten und die dort beheimateten Lebewesen.

Von den vielen Wesen, die gemeinsam mit Satais fortgeschritten sind, sind es wir in der sechsten Dimension, die sich direkt mit irdischen Angelegenheiten befassen, aus Gründen, die wir euch in früheren Durchsagen ausführlich dargelegt haben. Aber wir möchten gerne erneut betonen, dass es andere Lichtwesen aus der Satais-Prägung gibt, die ihre Liebe und Weisheit in die vielen anderen Welten bringen, die in dieser Phase, in der Ras Aufstieg unmittelbar bevorsteht, Hilfe benötigen.

Sie sind herzzentrierte, liebevolle Teilnehmer des Spiralstroms, über den wir alle enorme Energie und Erfahrungen beitragen. Denn es ist die Mission aller Lichtwesen, anderen, die sich weiter unten in der Spirale befinden, auf ihrer Reise zurück zur Quelle behilflich zu sein.

Ihr könnt euch darauf freuen, in Hinsichten, die ihr euch bislang nicht recht vorstellen könnt ... Vielleicht dauert das noch, bis ihr die nächste Gewahrseinsebene erreicht habt und in einem Zustand wahrer bedingungsloser Liebe für alle Menschen, Orte, Wesen und Lebensformen lebt – auch für die Düstersten, die, wie ihr wisst, eines Tages ebenso wie ihr zur Quelle zurückkehren werden.

Anu (Sirius C) ist der dritte Stern in unserer komplexen stellaren Verbindung. In der dreidimensionalen Phase seiner Entwicklung war Anu die Lebensquelle für fünf große Planeten und eine große Anzahl (dem biologischen Verständnis nach) unbelebter Formationen, die sehr stark dem ähneln, was ihr in eurem eigenen System als »Asteroiden« bezeichnet.

Anu ist in die vierte Dimension aufgestiegen und schwingt immer noch mit dem Bewusstsein dieses Dichtegrads mit, bestimmt vom Evolutionsprozess dieses Sonnen-Logos und der Himmelsgottheiten ihres physischen Seins.

Wie ihr anhand früherer Botschaften erfahren konntet, ist Nibiru ein Anu-Planet, der im dreidimensionalen Reich verblieben ist. Es gibt intelligente Lebensformen von den anderen vier Anu-Planeten, die zu verschiedenen Zeitpunkten der Evolution eures Planeten in die Biosphäre der Erde zurückgekehrt sind, um der menschlichen Gattung zu helfen und zu dienen.

Zu ihnen zählten auch die Vorgänger der Delfinwesen, denen die Lehren der antiken Dogon-Völker aus der Landmasse, die ihr als Afrika kennt, zu Unsterblichkeit verhalfen.

Nur um ganz sicherzugehen: Mit »multidimensionaler Sternen-Trinität« meint ihr, dass Sirius A in der dritten, Sirius B in der sechsten und Sirius C in der vierten Dimension existiert?

Richtig. Da Sirius eine zusammengesetzte Dreigestirngottheit ist, die gleichzeitig auf drei verschiedenen dimensionalen Ebenen, nämlich der dritten, vierten und sechsten, existiert, dient es als multidimensionales Portal – als eine Art Torwächter des materiellen Universums.

Findet denn gezielte Kommunikation zwischen den Sirius-Sternen statt, obwohl sie auf verschiedenen Ebenen existieren?

Wenn du damit bewusste Kommunikation zwischen den Sternenwesen selbst meinst, ja: Es existiert definitiv ein Bewusstseinsfluss, eine Energieübertragung und ein ständiger Dialog zwischen ihnen. Sie sind in jeder Hinsicht interaktiv und energetisch ko-kreativ.

Zwischen ihnen – zwischen den Dimensionen – fließen unglaubliche Energieströme hin und her, die jeden und alle beeinflussen.

In den Weiten der Galaxis sind sie als »die Schwesternschaft« bekannt.

Was den Bewusstseinsaustausch zwischen individuellen Einheiten von Lebewesen in diesen Sternensystemen betrifft, lasst es uns so ausdrücken: Wir verfügen über das Gewahrsein, die Erinnerung und die Kodizes, um uns willentlich mit fühlenden Wesen in anderen Schichten zu verbinden. Bestimmt wird dies durch die Einstimmung auf die mitschwingenden Frequenzen.

Ihr steht im Austausch mit den intelligenten Lebensformen auf diesen Planeten?

Ja, aber wie wir bereits sagten, befassen wir vom Rat uns derzeit vornehmlich mit der menschlichen Gattung, die Gaia bevölkert. In den höheren Sphären besteht aber ein gesteigertes Interesse am Aufstieg eurer Sonne, weshalb Hilfe zu allen Lebewesen in eurem Reich ausgesendet wird.

Bald, noch zu euren Lebzeiten, werdet ihr interplanetaren Kontakt erfahren. Das haben wir euch bereits mehrfach bestätigt.

Es wird sich euch noch so vieles offenbaren, worüber ihr nur spekulieren könnt in euren Fantasien über eine Zukunft, die euch im Augenblick noch unmöglich erscheint – und dennoch handelt es sich bereits um das »genau jetzt« eurer Erfahrung.

Andere aufgestiegene Außerirdische – so wie die Plejader und die Arcturianer – engagieren sich eher für eure Schwestergottheiten und die Vorbereitung der intelligenten Lebewesen auf den dortigen Planeten, auch wenn sie ebenfalls mit der

Menschheit sprechen. Es ist stets eine Frage der Ausrichtung – des Mitschwingens –, und es gibt keine Beschränkungen dafür, wo sich in der großen Sinfonie des Lebens in der Sphärenmusik Harmonien finden.

Könnt ihr uns genauer erklären, was ihr mit »Sphärenmusik« meint? Mir ist der Begriff bereits seit längerem bekannt und ich weiß, dass schon Pythagoras davon sprach … aber so recht verstehe ich ihn immer noch nicht.

Das materielle Universum und seine holografischen Paralleluniversen sind durch komplexe, exquisite kosmometrische Formen miteinander verwoben, bei denen es sich um heilige Werke der Schöpfung handelt. Diese bilden ein wunderbar bewegliches Gitternetz mit mathematischen Proportionen und räumlichen Beziehungen und Verhältnissen, die die Fasern vieler Realitätsebenen umfassen und für euch entsprechend abstrakt vorstellbar sind. Nichts im Universum ist unproportioniert oder willkürlich. Alles befindet sich in perfekter Harmonie – alles ist miteinander verwoben, ist vereint, ist EINS.

Jeder Himmelskörper ist umgeben von einem einzigartigen und atemberaubend schönen, heiligen Design kristalliner Anordnung – einer kosmometrischen Blaupause, in der sich (in linearem Sinn) alles in ständiger aufwärtsgerichteter Evolution befindet und im Licht der Seele steht, die nach Perfektion sucht.

Der göttliche holografische Bezugsrahmen befindet sich in ständiger Bewegung, dreht sich endlos im meisterlichen Rhythmus aller Schöpfung.

Die Drehbewegung dieser kristallinen Strukturen erzeugt eine Hauptnote für jeden Himmelskörper. Wir bezeichnen das als die »Wam«-Schwingung. Sie ist der Antrieb für die Drehbewegung von Planeten, Monden und sogar Sternen.

Und in euch findet dasselbe statt: Die Drehbewegung der Energieräder eurer eigenen Energienetzwerke und eure Merkaba-Felder legen eure Seelenmusik fest – eure einzigartige Klangkodierung.

Jede Seelenessenz im Kosmos ist von ihrem eigenen komplexen Kristallraster umgeben. Jede Seele hat ihren Hauptton, ihre spezielle Note ... also das, was wir euch als »Wam«-Schwingung beschrieben haben.

Die Fähigkeit, die Sphärenmusik wahrzunehmen, ist eine Gabe, die sich die Meister unter euch angeeignet haben, die auf dem Weg zur spirituellen Erleuchtung weit gereist sind.

Ich habe gelesen, dass derzeit sirianische Mutterschiffe die Erde umgeben und die Evakuierung größerer Menschenmengen an einen sicheren Ort vorbereiten. Könnt ihr das bestätigen?

Wir möchten euch bitten, einmal tief durchzuatmen und euch folgende Frage zu stellen: Vor was solltet ihr denn gerettet werden? Wenn ihr die aktuellen Veränderungen auf eurem Planeten Erde meint, möchten wir euch daran erinnern, dass der Klimawandel – und die Veränderung von Meeren und Landmassen – durch und durch Teil der Evolution Gaias (eine Spiegelung der Beschleunigung eurer Sonne) und eine Manifestierung eures individuellen und kollektiven Karmas ist.

Wenn ihr bereits an dem Punkt angekommen seid, an dem ihr versteht, wie eure individuellen Gedanken, Handlungen und Emotionen zum Kollektivbewusstsein beitragen und wie das Kollektiv das holografische Universum erschafft, dann seid ihr der Wahrnehmung und dem Verständnis, dass alles, was sich vor euch entfaltet, ein Teil von euch ist und es auch bleibt, bis ihr eure Schwingung verändert, schon viel näher gekommen.

Euer individuelles Augenmerk auf die Heilung eurer unmittelbaren Umgebung und euer Beitrag dazu, ein weltweites Bewusstsein dafür zu erzeugen, ist von zentraler Bedeutung für eure zukünftige Beziehung zur Erde in der vierten Dimension.

Vergesst nicht: Ihr könnt dem Karma nicht entkommen. Ihr könnt es auflösen, ja. Ihr könnt es heilen, verändern, beschleunigen oder verlangsamen … aber entkommen könnt ihr ihm nicht.

Wir möchten euch außerdem bitten, zu überlegen, wie irgendeine außerirdische Kraft genügend Menschen von eurem Planeten mitnehmen soll, um euch zu retten. Wie sollte eurer Vorstellung nach der Selektionsprozess aussehen? Würde man die »guten« Menschen in Raumschiffen wegbringen und die »Bösen« ihrem Schicksal überlassen?

Würdet ihr wirklich blind mit solchen sogenannten Rettern gehen und eine Welt, zu deren Zerstörung ihr einiges beigetragen habt, keines Blickes mehr würdigen?

Das mag vielleicht eine Fantasie der herrschenden Elite auf eurem Planeten sein, aber wir versichern euch, dass es mit der Realität nichts zu tun hat.

Sicherlich erkennt ihr selbst die alten Muster und Gedankenprogramme in solchen Szenarien von einem »Tag des jüngsten Gerichts«. Wir bitten euch, keine neue Religionen rund um die Zukunft des Kontakts mit Außerirdischen zu erschaffen, vor allem nicht zu einer Zeit, in der ihr kurz davor seid, euch selbst aus dem aufoktroyierten Dogma von Wertesystemen zu befreien, in denen ihr ständig versucht, eure Schuld abzutragen und von euren Sünden freigesprochen zu werden – nur damit ihr »es schafft.«

Im Dichtegrad des physischen Universums oder als Kollektivbewusstsein in höheren Existenzzuständen verstehen durchgängig alle weiterentwickelten außerirdischen Zivilisationen, dass euer Planet kurz davor steht, eine wunderbare Reise zu erleben, und entgegen dem Offensichtlichen habt ihr großes Glück, euch genau jetzt auf der Erde zu befinden.

Ihr, alte Seelen, habt beschlossen, dort zu sein. Keine weiterentwickelte außerirdische Zivilisation würde versuchen, in euren Übergangsprozess einzugreifen oder ihn zu unterbrechen. Wir wollen euch nur hilfreich zur Seite stehen – auf Seelenebene. Ihr habt euch jetzt inkarniert, um an diesem monumentalen himmlischen Übergang teilzuhaben, und ihr befindet euch bereits auf der Zielgeraden.

Vertraut auf die Weisheit des höheren Selbst.

Stünde eine außerirdische Macht kurz davor, euch aus der Realität herauszureißen, in der ihr euch absichtlich materialisiert habt, wäre das doch eine wahre Abschreckung für euren Seelenzweck, oder nicht?

Die Frage ist nur, ob ihr eure Schwingung bis zu dem Punkt anhebt, an dem ihr den Aufstieg ganz bewusst erlebt – oder ob ihr wie all jene, die in den niederen Frequenzen verhaftet sind, entscheidet, euch weiterhin an das Rad der karmischen Wiederkehr zu binden.

Die Entscheidung liegt bei euch. So war es immer schon und wird es immer sein.

Eine Entität namens Yahweh, ein uraltes Wesen, das mit den Zeta-Retikulanern und einer fortschrittlichen Spezies mitschwingt, die den Namen »die Händler« trägt, behauptet, dass die Sirianer in der Vergangenheit dafür bestraft wurden, die menschliche Evolution aufzuhalten. Ist das wahr?

Wir wissen nichts von einer Spezies namens »die Händler« und würden die Zeta-Retikulaner auch nicht als spirituell »fortschrittliche« Zivilisation bezeichnen. Von daher möchten wir euch nahelegen, die Quelle dieser »Entität« infrage zu stellen.

Es gibt zahlreiche Astralwesen auf Wanderschaft, die sich unter den verletzlichen, egozentrischen Mitgliedern niederer Dimensionen ihr Publikum suchen. Noch einmal: Wir möchten euch bitten, jeglichen Informationen, die euch erreichen, mit dem Herzen zu lauschen und euer Urteilsvermögen zu nutzen, um euch ein Bild von den Informationsquellen zu machen.

Was deine Frage betrifft: Wenn es eine Bestrafung für Handlungen gibt, die mit der Absicht getätigt werden, dem größten Wohl eines anderen zu dienen, dann kann man das nur als eine Erzeugung karmischer Ketten werten, die den Fortschritt beider Beteiligter verlangsamen.

Wir haben das Karma erkannt, das durch unsere Intervention erzeugt wird, und arbeiten damit, indem wir der menschlichen Gattung dienen und helfen, ohne einzugreifen.

Und was die Frage der Bestrafung betrifft: Ihr sollt wissen, dass keine von außen kommende Macht den karmischen Prozess Einzelner oder aller beeinflussen kann. Karma ist nichts weiter als das Ergebnis einer individuellen oder kollektiven Handlung, wie es euch so präzise in der buddhistischen Glaubenstradition gelehrt wird.

Im Augenblick rasen dermaßen viele Informationen durch unsere Datenautobahnen, dass es uns manchmal schwerfällt, die Wahrheit zu erkennen. Sicher gibt es auch Fälle von bewusster Desinformation, die uns von unserem Weg des Erwachens abbringen sollen. Wie können wir die Beweise finden, die wir brauchen, um die Weisheit anzunehmen, die ihr und andere uns bringt, vor allem, wenn sie durch Channelmedien übertragen wird, die mit Wesen wie euch in Verbindung stehen?

Was die Diskrepanzen und die Verwirrung betrifft, die rund um die multidimensionale Realität und andere Themen herrschen, die von jenen vorgebracht werden, die euch von galaktischer Soziologie erzählen: Was ihr als Wahrheit erkennt, ist unausweichlich das, was das Herz zum Singen bringt, und nichts und niemand kann euch die Wahrheit in unwiderlegbaren Begrifflichkeiten ausbuchstabieren.

Selbst die Wissenschaft, die von sich behauptet, die objektive Rationalisierung von Experimenten und eindeutigen Beweisen zu sein, ist subjektiv, denn sie wird vom Beobachter beeinflusst – das konnte wieder und wieder gezeigt werden. Deshalb ist sie alles andere als objektiv im gewünschten Sinne.

Es ist an euch zu entscheiden, was ihr in eurem Herzen als Wahrheit empfindet. Nur im Zentrum eures Seins kann die Wahrheit gefunden werden, und diese Suche müsst ihr für euch selbst unternehmen, als engagierte Suchende in der Spirale, die euch ins strahlende Licht führt.

Alle Informationen, die euch überbracht werden, beruhen potenziell auf Meinungen, Interpretationen und (vor allem) der Absicht desjenigen, der sie euch als das letzte Wort präsentiert.

Wir bringen durch unser Channelmedium die Wahrheit zu euch, SO WIE WIR SIE VERSTEHEN, nachdem wir unsere lange und erleuchtende Reise in die sechste Dimension absolviert haben. Was wir heute für die Wahrheit halten, könnte auf unserem weiteren Weg entlang der wundervollen Spirale selbstverständlich aber schon morgen zu neuen Einsichten und einem höheren Gewahrsein transmutieren. Dies ist die Erhabenheit unserer Reise, ebenso wie eurer … und der jedes anderen bewussten Wesens im Kosmos.

Es ist die Ehrfurcht und Bewunderung, die dem Aufstiegsprozess der Seele eigen ist.

Tatsächlich ist das sogar der Grund, aus dem wir überhaupt existieren: um Berggipfel zu erklimmen, das Licht der Wahrheit zu suchen, den Zweck unserer Reise und unsere Mission zu erfahren und – vor allem – die Großartigkeit von alledem zu zelebrieren, was wir entdecken, und auf unserem Weg dem Ganzen zu dienen.

Danke für eure Ausführungen bezüglich der vierten Dimension. Tatsächlich fällt es uns sehr schwer, uns ein Erleben außerhalb der Zeit vorzustellen. Könnt ihr uns vielleicht ein konkreteres Beispiel nennen – vielleicht eines, das wir mit allen fünf Sinnen erfassen können, damit die Vorstellung für uns zugänglicher wird?

Vergesst nicht, dass euer intellektuelles Zeitverständnis in linearen Vorstellungen gefangen ist – denn so funktioniert euer logisches Denken.

Wenn ihr tagträumt, träumt, meditiert oder euch auf eine Astralreise begebt, schlüpft ihr aus der Dimension und bewegt euch durch andere Ebenen, ohne zu erkennen, dass ihr gleichzeitig sowohl in der dritten Dimension, in der ihr momentan in biologischer Form verankert seid, als auch in anderen Dimensionen existiert, in denen ihr gerade Resonanz erfahrt.

Stellt dir Folgendes vor: Es ist ein strahlend schöner Tag und du hast beschlossen, draußen laufen zu gehen. Auf dem Rückweg verdrehst du dir den Fuß und stürzt. Schmerz schießt durch deinen Körper. Eine Nachbarin bekommt den Unfall mit. Sie läuft ins Haus und kehrt mit Eis zurück, das ihres Wissens gegen Schwellungen helfen soll. Du liegst mit dem Eis auf deinem Knöchel da und der Schmerz bessert sich spürbar, während dein physischer Körper infolge des traumatischen Ereignisses seine Form verändert.

Die damit verbundenen Prozesse sind ein Beispiel für das »Resonanzprinzip«, das all unseren Lehren zugrunde liegt. Eigentlich ist es ganz einfach: Die zähfließenden Wassermoleküle kommunizieren in ihrem gefrorenen Zustand das kosmometrische Design ihrer verlangsamten Schwingung und die Liebe der Person, die dich umsorgt, erreicht die aufgewühlten Moleküle im erhitzten Wasser in deinem traumatisierten Gelenk, verlangsamt deren Schwingung und verringert so die Schwellung.

Das Eis interagiert außerdem mit deiner eigenen hochfokussierten Absicht, den Schmerz zu lindern und die Schwellung zu reduzieren. Denn wie ihr wisst, hat Wasser ein Bewusstsein und reagiert umgehend auf eure gedanklichen Projektionen.

Schon bald beginnt das Eis in der Sonnenwärme zu schmelzen und kehrt wieder in seine alte, flüssige Form zurück. Es wird zunächst von dem Handtuch absorbiert, in das es gewickelt war, läuft dann langsam deinen Knöchel hinab und von dort aus ins Gras. Dort versickert ein Teil in der Erde. Ein anderer Teil verdunstet von deiner Haut in die warme Luft.

Als du das Handtuch untersuchst, stellst du fest, dass sich das Eis in Wasser verwandelt hat. Und als du dir deinen Fuß genauer ansiehst, stellst du fest, dass das Wasser verdunstet und verschwunden ist.

Aber ist es das auch wirklich?

Handelt es sich hier nicht vielmehr um einen Fall von materieller Transformation, weil die flüssige Form des H2O nun in die Atmosphäre freigesetzt wurde – verdunstet ist, wie ihr es nennt? Und ist es dadurch nicht Teil der Atmosphäre geworden, indem es, wenn auch nur in sehr begrenztem Ausmaß, Feuchtigkeit in die Luft gebracht hat?

Wir möchten euch bitten, über die Bedeutung dieses Transformationsprozesses nachzudenken und ihn mit eurer eigenen Existenz in der Gleichzeitigkeit zu vergleichen. Begreift, dass *ihr* das Wasser, das Eis und der Dampf seid ... Ihr seid die Feuchtigkeit in der Luft.

Dies haben wir euch im ersten Band unserer Lichtbotschaften im Kapitel »Die kosmische Suppe« veranschaulicht.

Wollt ihr damit sagen, dass alle, die ihre Energien nicht weiterentwickelt haben, nicht am Aufstieg teilhaben werden? Was geschieht dann mit ihnen?

Alle, die sich lieber auf die niedrigeren Schwingungen einstimmen oder ihr Karma nicht auflösen wollen, werden mit einiger Wahrscheinlichkeit aus diesem Leben in ein anderes physisches Leben an irgendeinem anderen Ort im dreidimensionalen Universum übergehen – denn die Erde wird auf dieser Ebene nicht mehr existieren. Sie werden sich weiterhin im Rad der Reinkarnation befinden, so lange, bis sie nicht mehr das angesammelte Karma abarbeiten müssen, das sie an die Begrenzungen des holografischen dreidimensionalen Bezugsrahmens – also der Matrix – bindet.

Es gibt eine bemerkenswerte Menge an Wesen in eurer Welt, die sich von tierischen, verkörperten Vergnügungen ernähren wie gierige Wölfe von frischem Fleisch. Solchen Individuen ist nichts an einem höheren Gewahrsein gelegen – ihnen geht es um die verschiedenen Ebenen sinnlicher Erfahrungen und Erfüllung.

Diese Schichten eurer Gesellschaft werden nicht durchkommen, und es wird sie sogar freuen, in andere materielle Reiche überzugehen und auf dem Rad der karmischen Wiederkehr zu einem neuen Ziel zu reisen, an dem sie verlockende neue fleischliche Gelüste befriedigen können.

Dies ist ihre Intention, so werden sie sie erschaffen.

All das ist, wie ihr bald verstehen werdet, eine Reflektion unseres Prozesses – wir trennen uns von der Quelle, springen in den Abgrund, und dann, wenn wir das Elixier des Leids und der Isolation bis zum letzten hypnotischen Tropfen ausgetrunken haben, schlagen wir den Rückweg ein und klettern aus der Dunkelheit zurück ans Licht.

Für jeden von uns gibt es eine Zeit, in der wir unseren Kokon durchbrechen und unsere Flügel ausbreiten, um durch die weiche Herzensbrise zu gleiten und im Licht der Schöpfung zu erstrahlen.

Es gibt viele Channelmedien, die verschiedene Sternensysteme repräsentieren und alle vom Aufstieg sprechen. Aber ihr sprecht von einem solaren *Aufstieg, was sonst nur noch Thoth und die Plejader tun – einem Aufstieg, der alle Planeten mit in die vierte Dimension nimmt, wo die Energie gereinigt wird, worauf die Seelen in höhere Dimensionen voranschreiten. Das ist ungewöhnlich, fühlt sich aber absolut wahr an. Könnt ihr erklären, warum das Konzept des solaren Aufstiegs in die vierte Dimension in den vom Sirius übermittelten Informationen offenbar einen besonders hohen Stellenwert einnimmt?*

Vielleicht liegt es daran, dass der Prozess im Falle unseres Dreifachsternensystems so speziell war, denn bei uns erfuhren ja zwei Sterne – ihr nennt sie Sirius B und Sirius C (Sothis und Anu) – den solaren Aufstieg, während sich Sirius A immer noch in der dritten Dimension befindet. Drei Sterne in drei Dimensionen: Sirius A in der dritten, Sirius B in der sechsten und Sirius C in der vierten. Entsprechend sind wir ein multidimensionales, interaktives Sternensystem.

Wir können nichts darüber sagen, warum in den meisten anderen Botschaften die Frage der Reinigung in der vierten Dimension nicht thematisiert wird, da es sich nicht um unsere Erfahrung handelt. Wie wir schon mehrfach beschrieben haben, ist die vierte Dimension ein natürlicher Teil eures Übergangs – eine Brücke sozusagen, die in höherentwickelte Schwingungsfelder führt, also das, was ihr als »höhere Dimensionen« bezeichnet. Verzeiht bitte, dass wir uns wiederholen, aber dies ist der Ort, an dem ihr eure karmischen Lasten bearbeitet – und Lasten habt ihr! –, damit ihr sie als Individuen und als Gesellschaft heilen könnt. Wenn ihr die Tatsache begreift, dass ihr es dringend nötig habt, das Kollektivkarma zu heilen, dann erkennt ihr, dass der Aufruhr, in dem sich euer Planet derzeit befindet, einen notwendigen Teil eures Wachstums, eurer Aufarbeitung alter Schuld und alter Knoten darstellt ... Er ist Teil von Dingen, die ihr loslassen müsst, um Platz zu schaffen für die Verfeinerung eurer Energie.

Ab der fünften Dimension aufwärts ist die Schwingungsfrequenz so beschaffen, dass all diese Disharmonie und Angst und all diese Emotionen keinen Halt mehr finden. Sie brechen auseinander und lösen sich auf.

Zunächst aber müssen Heilung, Auflösung und Transmutation von all dem stattfinden, was sich nicht in Harmonie befindet. Und genau das ist es, was sich im Augenblick ereignet: Ihr spürt die vierte Dimension um euch und durch euch hindurch flattern, während ihr zwischen dem Alten und dem Neuen und dem Dazwischen hin- und herspringt.

Werden all unsere Schwesterplaneten und Monde mit uns aufsteigen?

Das können wir nicht mit Sicherheit wissen, da es viele wahrscheinliche Realitäten gibt, die in jedem Moment koexistieren. Wir können euch allerdings sagen, dass die Ausrichtungen dergestalt erscheinen, dass alle gemeinsam voranschreiten, an einem Zeitpunkt, zu dem die Ereignisse in eurem Reich in die Sphärenmusik hinausschallen wie eine große Ouvertüre.

Ihr sollt wissen, dass die relativen Distanzen zwischen den Planeten natürlichen, diatonischen musikalischen Proportionen folgen ... und dass es auf jeder Ebene in der gesamten Galaxis ähnliche Harmonien gibt.

Solche kosmometrischen Proportionen sind der Stoff, aus dem das Universum gemacht ist – sie sind sozusagen die Notenblätter der Schöpfungssinfonie. Alle Himmelswesen in allen Dimensionen, darunter auch Sirius, sind manifestierte Musik, die (im weiteren Sinne) im Weltraum eingefroren wurde.

Und was geschieht mit den Seelen, die nicht aufsteigen?

Sie werden in ein neues Leben wiedergeboren, wenn sie in die Hallen des Lernens eingetreten sind, neue Informationen über ihre nächste Inkarnation erhalten und sich ausgeruht haben. Danach kehren sie zurück in den Dichtegrad der physischen Realität, irgendwo und irgendwann ... in eine neue Erfahrung von Körper und Form, die von der Seele bestimmt und gestaltet wurde.

Welche Form der Körper einnimmt und in welcher Umgebung er ein Schwingungsfeld findet, in dem er sich entwickeln kann, ist ein Prozess karmischer Muster und Entscheidungen, die von der Seele erschaffen werden.

Warum gab es bislang keine Kommunikation zwischen den Planeten unseres Sonnensystems? An diesem Punkt der Evolution unserer Sonne hätte es eigentlich doch zumindest Radiosignale oder irgendeine andere Form von Kommunikation geben müssen, oder?

Natürlich findet Kommunikation statt! Ihr habt einfach nur keinen Zugriff auf die entsprechenden Informationen. Wie wir euch ja schon gesagt haben, glauben die Machthaber nicht, dass ihr bereit seid für die Tatsache, dass es außerirdisches Leben gibt, und deshalb gewährt man euch keinen Zugang zu den Geheimakten.

Jedenfalls bis jetzt nicht. Aber schon bald – sehr bald – wird man euch mit unwiderlegbaren Beweisen konfrontieren, und nichts wird euch, die Menschheit, mehr von diesem Wissen trennen können.

Nicht einmal die größten Skeptiker unter den Ungläubigen werden die Existenz intelligenten Lebens jenseits eures winzigen Planeten noch leugnen können ... Radiosignale sind in eurem Sonnensystem tatsächlich aber eher selten. Vergesst nicht, dass die Erde ein extrem lauter Planet ist und mit jedem Augenblick, in dem er weiter im materiellen Universum verbleibt, lauter wird. Es ist zwar schwierig für Wissenschaftler, in den unendlich vielen Frequenzen, die euren Orbit füllen, außerirdische Signale zu isolieren und zu erkennen, weil sie mit ihren Geräten Störungen verursachen und entsprechend ihre Fähigkeit verringern, zu interpretieren, was von anderen Himmelswesen ausgesendet wird – aber dennoch existieren sie!

Und sie wurden auch identifiziert.

Die Astronomieprojekte SETI und META, die derzeit in euren wissenschaftlichen Gemeinschaften durchgeführt werden, haben Signale aufgefangen, die sie als potenziell »künstliche« Radiosignale aus dem direkten Umfeld des Planeten Saturn einstufen. Vom Planeten Jupiter haben sie drei Bandbreiten von Radiotransmissionen aufgefangen, die von der Planetenoberfläche, aus dem Plasmakörper, der Jupiter mit seinem Mond Io verbindet, und aus dem Magnetfeld, das Io umgibt, zu stammen scheinen. Auch Signale vom Neptun werden derzeit untersucht, da sie auf dasselbe hinweisen.

Was wir euch sagen wollen: Euer SETI-Programm fängt konstant Signale auf, die genügend Merkmale aufweisen, um als Übertragungen von außerirdischer Intelligenz eingestuft zu werden, und darüber hinaus sind wir ziemlich sicher, dass es auf dem Planeten Erde auch jemanden gibt, der antwortet …

Vergesst bitte nicht, dass die Planeten in eurem Sternensystem miteinander sprechen, Energiefelder teilen und die Liebe, die den gesamten Kosmos durchdringt, austauschen.

Viele von uns glauben, dass wir nur mit unserer Seele verbunden sind und alles, was wir fühlen, energetisch durch die Seele läuft. Steht dieses Seelenbewusstsein in irgendeinem Zusammenhang mit unserer Wahrnehmung von beispielsweise Aufgestiegenen

Meistern, gechannelten Sternenwesen wie den Plejadern oder intelligenten Energiefeldern, die wir anzapfen können?

Du sprichst von der Seele, als hätte sie Begrenzungen oder als sei sie isoliert oder unzulänglich: »Wir glauben, dass wir nur mit unserer Seele verbunden sind.« Aber wenn ihr die Beschaffenheit von Bewusstsein und Existenz versteht, dann wisst ihr auch, dass alles Seele ist: die schöpferische Urkraft, der Kosmos, jeder Partikel, jedes Lebewesen, jeder Stein, jedes Sandkorn oder Wassermolekül.

Alles besitzt Selbstgewahrsein, ja. Und oft geht damit Selbstsucht einher, wie es bei einigen Spezies der Fall ist. Im Fall der meisten Tierarten, die noch so wild und frei von menschlicher Intervention leben, dass sie ihren Instinkten folgen können, könnte man diesen Zustand des Selbstgewahrseins wohl passender als Überlebensbewusstsein beschreiben, wozu auch die Fortpflanzung der Spezies zählt.

In jener winzig kleinen Substanz, die man auch als »kosmischen Staub« bezeichnet, wird das Wissen über alles, das jemals existiert hat, von galaktischen Windströmen herumgetragen bis in die entlegensten und entferntesten Welten. Alles Wissen um die Schöpfung ist in jedem Partikel enthalten.

Wenn ihr das erkennt, dann zapft ihr allmählich die Weisheit und Energiefelder von Wesen an, die diesen Staub, die Partikel und die Welle längst transzendiert haben.

Es scheint, als würde in unserer Welt derzeit ein Wettlauf zwischen zwei gegenläufigen Entwicklungen stattfinden: Auf der einen Seite stehen die spirituell interessierten Menschen, die sehnsüchtig darauf warten, den Aufstiegsprozess zu durchlaufen (nicht, dass sie eine Wahl hätten ...), und versuchen, ihr Bewusstsein und ihre Liebe zu erweitern, um sich in den feinstofflicheren Energien verankern zu können. Auf der anderen Seite ist da, um es mit einer Formulierung aus Star Wars *auszudrücken, die dunkle Seite, die all das verhindern will, um nicht die Kontrolle über den Verstand der Bevölkerung zu verlieren.*

Sehe ich das richtig? Und wie wird diese Entwicklung weitergehen? Besteht die Möglichkeit, dass wir diesen Wettlauf verlieren?

Da sich alles in einem Zustand ewigen Seins, ewiger Schöpfung und ewiger Auflösung befindet, bei der es sich ebenfalls um einen unendlich kreativen Prozess handelt, werden ununterbrochen neue Leben … neue Realitäten geboren. In diesem Prozess gibt es eigentlich kein Gewinnen und Verlieren nach eurem Verständnis – so ist die Natur eben einfach beschaffen. Denkt immer daran, dass das Alte gehen muss, damit das Neue kommen kann. Das ist die göttliche Ordnung des Kosmos – ein perfekt ausgewogener Prozess, so angelegt, dass er die Realität ständig neu erfindet und umgestaltet und das, was bewiesen und erlebt wurde, verblassen lässt, damit Licht auf das fallen kann, was neu hervortritt.

Ja, in eurem Reich findet in der Tat ein bemerkenswerter Kampf zwischen Licht und Dunkel statt – wir haben bereits in verschiedenen Botschaften, die wir mithilfe unseres Channelmediums Trydjya übermittelten, darüber gesprochen. Viele unter euch haben den Eindruck, dass die Mächte, die sich für den Schatten entschieden haben, die Kontrolle über euren Planeten innehaben. Neigt sich die Waage zur zerstörerischen Seite, dann kann durchaus vieles zerstört, auseinandergerissen, zum Stillstand gebracht werden. Verbreiten dagegen jene unter euch, deren Intentionen von Licht durchdrungen sind, ihre Liebe und ihr Vertrauen in allen existieren Bewusstseinsschichten von ihrer persönlichen Realität bis hin zum kosmischen Makroversum, dann löst sich die Dunkelheit auf – und auch das ist ein Fortgehen, eine Form von Ende.

Letzten Endes gibt es nur eine einzige Gewissheit, an die ihr euch klammern könnt, während ihr die gewaltige Verschiebung zu verstehen versucht, mit der ihr als lebendige, bewusste Wesen in Gaias Bereich konfrontiert seid: Ihr seid dorthin gekommen, um diese Erfahrung zu machen. Komme, was wolle: Ihr werdet diese Verschiebung durchleben – ganz gleich, wie langsam, ganz gleich, wie viel Widerstand ihr leistet. Ganz gleich, wie schnell, ganz gleich, wie sehr ihr euch beeilt – und ihr werdet schon sehr bald voranschreiten zu jener Erfahrung, die euer karmisches Schicksal definiert.

Die Göttin Gaia ist nicht weniger unsterblich als ihr. Sie kann jeden Missbrauch überwinden und sich darüber erheben. Und erheben wird sie sich, denn alle Planeten, nicht nur der eurer Wahl, befinden sich in der Hyperphase der Vorbereitung auf den solaren Aufstieg.

Vergesst nicht, dass das Gefühl der Verzweiflung über das, was geschehen könnte, und die Verlustangst auf ganz konkrete Weise den Verlust selbst darstellen. Es ist der Verlust des Erlebens des Hier und Jetzt, des Augenblicks, der letztlich alles ist, was wirklich existiert. Es ist der Verlust der Schönheit überall um euch herum, wegen der ihr auf die Erde kamt – um sie kennenzulernen, zu erleben und dem Seelenkosmos aufzuprägen.

Wenn eure Gedanken den Weg der Angst, Zerstörung und Dunkelheit einschlagen, seid ihr dieser Schönheit gegenüber aber vollkommen gleichgültig. Und das seid ihr auch, wenn ihr euch in Gedanken fortkatapultiert in eine bessere Welt, auf einen anderen Planeten, zu einem neuen Stern.

Oft habe ich den starken Eindruck, dass alles aus Energie besteht: mein Auto, mein Hocker, mein Computer. Und damit einher geht der Eindruck, dass sie alle intelligent sind. In meinen Gedanken kann ich sogar mit ihnen reden, und sie antworten auch.

Ich bezeichne das als intelligente Energiefelder. Ist da etwas dran oder bin ich einfach nur verrückt?

Alles besteht aus atomaren und subatomaren Strukturen und den Beziehungen zwischen diesen – also dem, was eure Wissenschaftler als Elektronen, Neutronen, Protonen und so weiter bezeichnen. Diese Elemente sind die Natur, die der Realität und dem Dichtegrad der dritten Dimension, wir ihr sie versteht, zugrunde liegt, wobei es sich dabei letztlich nur um eine bestimmten Ordnung (oder sagen wir: eine spezielle Schwingung) handelt, in der diese Partikel und Schwingungen interagieren, um Substanz zu formen – von biologischem Leben bis hin zu materiellen Strukturen, die *scheinbar* unbelebt sind. Jede Substanz ist letztlich nichts weiter als eine Manifestation subatomarer Strukturen, die Muster bildet, die interagieren, um Materie zu bilden. Selbst das »toteste« unter euren Materialien – Plastik – ist immer noch eine Form mit subatomarem Zusammenhalt.

Durch euer Wissen über bewusste Absichten könnt ihr die Beschaffenheit dieser Strukturen (zu denen auch eure Körper zählen) mit dem gewünschten Ergebnis zusammenbringen, und zwar mithilfe der Gedankenwellen, die ihr als ihre Designer und Erfinder abstrahlt – denn diese Schwingungen und die Absicht, die sie mit sich tragen, sind ebenfalls untrennbarer Bestandteil der letztlich erzeugten Form.*

---

* Mehr darüber erfahren Sie in dem Buch *Techno-Elementale: Beseelte Technik* (2020) von David Spangler. Es erklärt auf der Grundlage jahrelanger eingehender Forschungen erstmals, wie unsere Gedanken und Emotionen in Bezug auf scheinbar Unbelebtes sogenannte Elementale erschaffen, die ein eigenes Bewusstsein besitzen. Das ist der Grund dafür, warum viele von uns – sicher oft verblüfft – erkannt haben, dass sie mit ihrem Auto oder ihrem Computer sprechen können. Es zeigt aber auch, dass größere technische Einheiten wie das Internet oder die immer häufiger eingesetzte Künstliche Intelligenz zwangsläufig ein Eigenleben annehmen. Leseproben auf www.AmraVerlag.de.

Ihr habt bereits mehrfach erklärt, dass unser Kontakt mit Außerirdischen unmittelbar bevorsteht, ohne einen genauen Zeitraum für dieses globale Ereignis anzugeben. Das verstehe ich, da ja so viele Unwägbarkeiten mit hineinspielen, wann es zu einer solchen Offenlegung kommen kann. Aber vielleicht könnt ihr ein wenig spezifischer darauf eingehen, welche außerirdischen Wesen mit uns Menschen interagieren?

Im Augenblick sind da die Anunnaki-Hybride, die eure weltweiten Unternehmen leiten, die wiederum eure Regierungen leiten, wie wir in unseren Botschaften hinsichtlich der Machtelite bereits ausführlich beschrieben haben. Dann gibt es noch die Zeta-Retikulaner, die in euren militärischen und wissenschaftlichen Kontrollzentren zugange sind. Außerdem existieren Unterwasserkolonien von Außerirdischen in euren Ozeanen und unter der Oberflächenschicht eurer Erde. Dort wird ein komplexes Netzwerk an unterirdischen Kolonien und Brutzentren, Aquakulturfarmen, experimentellen Laboren sowie Waffen- und Energielagern organisiert. Dann gibt es die Alpha-Draconier, Reptiloide, die sich von den niederen Schwingungen eurer Spezies ernähren.

Und noch zahllose weitere Arten sind auf der Erde am Werk und verfolgen ihre eigenen Ziele. Außerirdische Arten jeder Form und jedes Intelligenzniveaus bevölkern euren Planeten: Amöben mit telepathischen Fähigkeiten, die in jeder geophysischen Umgebung, die derzeit auf eurem Planeten existiert, überleben können. Wasserkreaturen, die von außerirdischen Kolonialisten als Transportmittel und Energiequelle benutzt werden. Außerirdische Mikroben, Bakterien, Gedankenformen. Auch genetische erzeugte Kreaturen der verschiedensten Art gibt es im Überfluss.

In euren Regierungen, Unternehmen, Kommunikationsorganisationen sitzen außerirdische Wesen in nahezu perfekter menschlicher Gestalt, und ihr erkennt sie nicht, weil sie euch so ähnlich sind – bis ihr ihnen tief in die Augen seht.

Wenn ihr einer außerirdischen Lebensform tief in die Augen seht, erkennt ihr, dass euer Blick nicht von eurer eigenen Spezies erwidert wird. Ihr wisst es immer, unabhängig davon, ob ihr genau benennen könnt, was euch so fremd erscheint.

Deshalb meiden sie meist euren Blick.

Darüber hinaus kommunizieren Wesen mit außerdimensionaler Intelligenz aus den Lichtreichen der fünften Dimension aufwärts mit euch, darunter Lichtwesen von den Plejaden, von Sirius, Arcturus und Andromeda, die den Wesen auf der Erde und euren Schwesterplaneten behilflich sind.* Ihr Fokus liegt dabei auf mehreren Planeten eures Sonnensystems – auch Venus, Mars, Jupiter und Saturn.

Ihr erhaltet ungehindert Besuch von außerirdischen Raumfahrzeugen und Projektionen derselben. Die Massen sehen sie zwar, trauen aber ihren Augen nicht. Diese Besuche finden überall von den entlegensten Außenposten eures Planeten bis hin zu Orten mit der höchsten Bevölkerungsdichte statt.

Kornkreise, Radioübertragungen und andere Anzeichen für Kontakt sind überall um euch herum präsent.

Derzeit treten eine Menge Whistleblower an die Öffentlichkeit und berichten der Welt von Geheimen Weltraumprogrammen.

---

* Zu unseren Wächtern und Beschützern gehören auch die Arcturianer. In dem Buch *Lichtboten vom Arcturus* (2014) des Channelmediums Tom Kenyon schildern acht von ihnen, welche Aufgaben sie für die Menschheit übernommen haben. Es enthält zusätzlich Meditationsanleitungen für die eigene Kontaktaufnahme. Die Einleitung wurde von den Hathoren durchgegeben. Dasselbe Medium hat außerdem wundervolle Arcturus-Klänge gechannelt, die unter den Titeln *Lightship* (2010) und *Reine Liebe vom Arcturus* (2014) auf CD vorliegen. Hörproben und Textauszüge finden Sie auf www.AmraVerlag.de.

Könnt ihr uns kurz erklären, was in dieser Hinsicht eigentlich passiert, wer die gegnerischen Kräfte sind und mit welchem Ziel die beteiligten Spezies, Geheimgesellschaften und Unternehmen ihre Programme entwickeln?

Verlasst euch nicht darauf, dass es sich bei allem, was ihr lest oder hört, um eine »verborgene Wahrheit« handelt. Viele, wenn auch nicht alle, dieser selbsternannten »Whistleblower« sind Schachfiguren eines Systems, das die dauerhafte Absicht verfolgt, sich der Menschheit mithilfe wilder Fantasievorstellungen und Ablenkungsmanöver zu entziehen. Sie wurden euch untergeschoben und erzeugen eine solch verwirrende Geräuschkulisse, dass ihr den Widerhall der Wahrheit nicht einmal mehr in den Wassern eures Unterbewussten vernehmen könnt.

Bei anderen handelt es sich natürlich durchaus um leidenschaftliche Forscher, Entdecker und Entführte, deren Leben durch Begegnungen mit Außerirdischen so stark beeinflusst und verändert wurde, dass sie sich nun der Aufgabe widmen, Licht ins Dunkel zu bringen. Wenn ihr euch fragt, wem ihr denn überhaupt vertrauen könnt und wem nicht, so liegt die Antwort – wie immer – in euch selbst. Euer Herz trägt die Schwingung der Wahrheit. Wenn diese Schwingung auf Resonanz trifft, darf euer Vertrauen folgen.

Ihr wisst, weshalb die Wahrheit so schwer zu erkennen ist. Wir haben in früheren Übertragungen bereits umfassend von der Schattenregierung gesprochen, die die Weltbevölkerung manipuliert. Aber selbst jene unter euch, die kaum wach sind, erkennen inzwischen die korrupten Schattenseiten der Institutionen, die eure Sozialstrukturen kontrollieren: die Medien, die Politik, die Finanzsysteme. Und sie erkennen, dass das Plasma, das an die Bevölkerung verfüttert wird, aufgeladen ist mit rhetorischen Mitteln, die auf die Gefühlsebene abzielen und das Massenbewusstsein senken. Ihr braucht keine unendlichen Informationsströme, die größtenteils sowieso bewusst irreführend sind, um die Wahrheit zu finden.

Ihr müsst die Wahrheit in euch selbst finden. Sie ist in euch, in jeder Zelle eures Seins. Ihr wisst es, wenn ihr der absoluten Weisheit lauscht, die in eure DNA gewebt ist und die Milliarden von neuronalen Impulsen steuert, die eure Gedanken und euer Gewahrsein auslösen. Bestimmt könnt ihr euch vorstellen, dass hierin der Grund dafür liegt, dass die Kontrollhaber die Absicht verfolgen, eure DNA zu verstreuen und zu fragmentieren, so dass ihr euren eigenen Verstand nicht mehr lesen könnt. Denn dann kann die Implantierung falscher Informationen euer eigenes Wissen überschreiben.

Nun, ihr wisst ja, dass im Dichtegrad der dritten Dimension eine naturgegebene Dualität zwischen Dunkelheit und Licht besteht, die sich in ständigem Tanz befindet und auf eine Auflösung hinarbeitet, die mit den höheren Schwingungsraten eines sich erweiternden Bewusstseins einhergeht.

Was für Pläne verfolgen die von euch genannten Außerirdischen-Spezies, die mit der Erde interagieren? Könnt ihr uns etwas mehr über die verschiedenen Spezies erzählen, von denen wir umgeben sind?

Wir haben nicht vor, euer Wissen zu definieren, wir wollen es nur verbessern. Die Antwort auf deine Frage würde so viele und detaillierte Informationen umfassen, dass wir leicht ein ganzes Bücherregal damit füllen könnten. Deshalb wollen wir euch die Frage stellen: Wie wichtig ist es für euch, die Namen, das Aussehen, die Ziele, Ursprünge, Transportmechanismen, Konfigurationen, die biologische Beschaffenheit und dergleichen mehr dieser Spezies zu kennen? Für viel wichtiger halten wir die Frage, welcher Art die Absichten der Spezies sind, die in Erdangelegenheiten mitmischen, und wie sie dabei vorgehen. Redigiert eure Wissensansammlung, so dass euer Geist frei ist, und schon könnt ihr die Struktur erkennen, die Absicht, die der Erfahrung und Realität zugrunde liegt, die ihr zu verstehen versucht.

Wir wollen damit beginnen, dass wir euch daran erinnern, dass sich die meisten Planeten in eurem Sonnensystem der anderen Planeten und dem Leben jenseits eures Sternensystems vollkommen bewusst sind. Es gibt interplanetaren Handel und ein kommunales Sozialsystem genauso wie territoriale Auseinandersetzungen, Kriege und laufende Rivalitäten zwischen Spezies und Geschlechtern. Dass der Großteil der irdischen Hauptspezies – also des *Homo sapiens* – nichts von der Existenz der galaktischen Gemeinschaft von Planeten und bewussten Wesen ahnt, ist eine Besonderheit eurer Erde. Aus diesem Grund haben wir euch in der Vergangenheit als die »Waisen« eures Sternensystems bezeichnet.

Es gibt rund fünfzehn Hauptspezies, die direkt mit eurem Planeten zu tun haben. Von diesen haben sich vier gegenüber euren Regierungen identifiziert und arbeiten mit ihnen zusammen – entweder für die dunkle Agenda oder als Leitkraft und Hilfestellung beim Übergang von Menschen und Planeten.

Wir glauben, dass es viel wichtiger für euch ist, euch extradimensionaler Wesen wie uns bewusst zu sein – Wesen, die mit dem gesamten galaktischen und kosmischen Schwingungsfeld arbeiten, um das Bewusstsein anzuheben, die Qualität der Existenz aller Wesen in den Biosphären der Erde und anderer Planeten zu verbessern und eurer Sonne durch den Aufstiegsprozess zu helfen.

Und so fragen wir euch: Was müsst ihr wirklich wissen?

Eure nächste Frage wird sicherlich lauten: Gewinnen die Kräfte des Lichts? Und die Antwort – die einzig plausible Antwort, die wir euch geben können, ohne die Souveränität eurer Erfahrung zu gefährden – lautet, dass auch ihr Licht und Dunkel seid. Wie wir euch bereits erklärt haben, ist dies die Beschaffenheit der Dualität – und Dualität ist die Beschaffenheit der dreidimensionalen Realität.

Es ist eure Entscheidung, ob ihr euch an dunklen Schatten festklammern oder auf den Horizont zulaufen wollt. Und dasselbe gilt für die außerirdischen Wesen, die sich auf die Erde konzentrieren, und auch für die extradimensionalen Sphären.

In unseren Botschaften werdet ihr immer wieder auf einige grundlegende Informationen zu den aktivsten unter den anwesenden Spezies stoßen, die daran arbeiten, den Kurs des Planeten zu ändern, um ihr eigenes Überleben, ihren Wohlstand und ihr Interesse daran zu begünstigen, das Schmuckstück Erde zu besitzen – in eurer galaktischen Nachbarschaft ein außerordentlich wertvolles Grundstück.

Worin besteht eigentlich der Unterschied zwischen den außerirdischen Spezies, die derzeit auf der Erde herumlaufen, so materiell wie wir Menschen oder auch extradimensional, und den Geistführern, mit denen so viele von uns eine bewusste Verbindung haben? Arbeiten Außerirdische und Geistführer manchmal zusammen? Leben sie in den gleichen oder in unterschiedlichen energetischen Sphären und Ebenen?

Es ist ganz einfach: Außerirdische Wesen, die in verkörperter Form auf der Erde oder irgendeinem anderen planetaren oder sonstigen Umfeld im Weltall, etwa auf Raumstationen, herumlaufen, sind physische Wesen, während Geistführer keine physische, dreidimensionale Lebensform aufweisen. Einige dieser Wesen, die Erdläufer, haben die Fähigkeit, ihre Form zu verändern – sie sind also Gestaltwandler –, was ihr ziemlich faszinierend und teils sogar beängstigend findet, obwohl ihr Beispiele für diese Fähigkeit aus eurer eigenen Natur kennt, besonders aus dem Reptilienreich. Betrachtet nur die Echse, die ihre Farbe im

Handumdrehen an jeden gegebenen Hintergrund anpassen kann, um unsichtbar zu werden. Oder die Tiefseelebewesen, die sich als andere Lebewesen oder als Meeresgrund tarnen, um für bedrohliche Raubtiere unsichtbar zu bleiben.

Im dreidimensionalen Reich vollzieht sich ein ständiger Gleichgewichtsakt zwischen Dunkelheit und Licht, ohne den ihr dreidimensionale Formen gar nicht wahrnehmen könntet. Ohne Dunkelheit wäre alles weiß und nicht unterscheidbar. Es hat also einen reellen Nutzen, dass ihr die Dunkelheit sehen könnt. Ohne eine Interaktion zwischen Dunkelheit und Licht könnt ihr keine Formen wahrnehmen.

In den Astralschichten, die mit der physischen Welt interagieren und auf für euch nicht unbedingt verständliche Weise nahezu an ihr festhängen, gibt es ebenfalls helle wie dunkle Formen, die ihr als Geistwesen oder »Spirits« bezeichnet. Derzeit stehen auf der Erde viele Portale offen. Teils wurden sie von laienhaften Experimentatoren geöffnet, teils von Fachkundigen, die absichtlich solche Wesen herbeirufen wollten, besonders solche aus den niederen Astralebenen. Das hängt stark mit der Wolke und dem Schatten zusammen, die in dieser Stunde der menschlichen Evolution das soziale und individuelle Bewusstsein zu umhüllen scheint.

Und was die Interaktion von Außerirdischen mit Spirits und Geistführern betrifft: Ja, unserem Verständnis und unserer Erfahrung nach verfügen alle Lebewesen über ihre Gruppen nichtmaterieller Wesen, die entweder dunkel oder hell, manchmal auch beides sind. Letzteres kann übrigens die Ursache für das sein, was ihr irrigerweise als »bipolare Störungen« diagnostiziert.

Ja, diesen Eindruck hatte ich auch bereits: dass viele psychische Auffälligkeiten gar keine Erkrankungen sind, sondern außer Kontrolle geratene Kommunikationen. Das fiel mir das erste Mal im Fall Daniel Paul Schrebers auf, der 1903 in seinen Denkwürdigkeiten eines Nervenkranken *davon schrieb, dass er ununterbrochen durch Licht- und Energiestrahlen in alle Richtungen mit Gott verbunden ist. Auch Freud hat über diese angebliche Psychose geschrieben, die natürlich einen beträchtlichen Leidensdruck mit sich bringt.*

Aber ich möchte noch einmal kurz auf die Greys zu sprechen kommen, weil praktisch jeder sie kennt und meinem Eindruck nach viele falsche Informationen über sie kursieren. Wir hören immer nur, dass sie Menschen entführen, um Experimente an ihnen durchzuführen. Dennoch scheint mir, dass sie keine durch und durch schlechte Spezies sind. Haben die Greys tatsächlich ihre Emotionsfähigkeit verloren? Einige von ihnen scheinen als Geistführer menschliche Heiler zu unterstützen. Handelt es sich dabei um eine Art Wiedergutmachung? Was für eine Art Spezies sind sie und in welcher Beziehung stehen sie derzeit zu den Menschen und der Menschheit?*

Die Wesen, die ihr als »Greys« bezeichnet, haben einiges gemeinsam mit dem, was ihr als synthetische Lebewesen oder »Androiden« bezeichnet. Sie sind seelenlose, robotische Kreaturen, die für ihre Aufseher und Designer Aufträge ausführen. Sie sind weder gut noch böse im Sinne eures polaren Verständnisses, sondern erfüllen vielmehr Aufgaben, die ihnen Wesen abverlangen, die im Erdreich Experimente durchführen, um das menschliche Genom zu sezieren und zu verstehen. Letztlich geht es ihnen darum, eine Hybridspezies mit dem Samen anderer Außerirdischer zu erschaffen.

Daran ist für euch nichts Neues, außer, dass wir euch in Erin-

---

* Davon berichtet die von den Plejadern geführte Heilerin Eva Marquez in ihrem Buch *Seelenheilung und energetischer Schutz* (2018). Sie channelt einen aufgestiegenen Grey namens Loom, der sie im Verlauf mancher Sitzungen darin unterstützt, bei den Klienten tief sitzende Ängste zu lösen. Leseproben auf www.AmraVerlag.de.

nerung rufen wollen, dass in euren Laboratorien derzeit verrückte Wissenschaftler dabei sind, die DNA-Struktur von Lebewesen umzuorganisieren. Wie wir bereits in den frühesten Tagen unserer Botschaften beschrieben haben, handelt es sich dabei schon jetzt um eine Tatsache. Es ist bereits geschehen. Es gibt schon verschiedene Arten von Hybridmenschen, gesplicte DNA, die mit der DNA von zahllosen Tier-, Insekten- und ja, auch Außerirdischenspezies vermischt wurde. Im Untergrund oder eingesperrt in Käfige existieren auf eurer Erde bereits synthetische Wesen, Roboter, Klone und wieder zum Leben erweckte Tote und sie alle sind den Launen und Absichten jener unterworfen, die diese abgewandelten Lebensformen erschaffen haben.

Und ja, einige von ihnen bewegen sich frei unter euch. Manche von ihnen finden sich an Unternehmensspitzen. Haltet Ausschau nach leeren Blicken, denn daran könnt ihr sie erkennen. Es liegt in eurer Verantwortung, es mit eigenen Augen zu sehen, um es verstehen zu können.

Ich höre häufig von einer Spezies namens Mantis oder Gottesanbeterin und hatte kürzlich in meinem Garten eine recht bemerkenswerte Begegnung mit einer dreidimensionalen kleinen Gottesanbeterin auf einer Blüte. Sie wirkte sehr niedlich und herzensgut, ich konnte ihre Wärme bis in meine Seele spüren.

Aber in der Literatur zu diesem Thema werden Gottesanbeterinnen meist als böse Außerirdische dargestellt, die bei Menschenentführungen als rechte Hand der Greys arbeiten oder beim Sklavenhandel in unserem Sonnensystem assistieren. Könnt ihr uns mehr über die wahren Ziele der Gottesanbeterinnen und über ihre Kultur erzählen?

Traue ruhig dem Eindruck, der bei dir entstand, als du die Schönheit und Niedlichkeit und Wärme gespürt hast, die von dieser Kreatur ausging. Wieso solltest du dieses Erlebnis einer

Geschichte, einem Eindruck oder Programm zuliebe infrage stellen, die von jemandem stammen, der deine Energie reduzieren will? Wenn ihr im Kopf behaltet, dass kein Wesen von Natur aus gut oder schlecht ist, auch wenn ihr alles in eurer Umgebung ständig nach diesen Maßstäben klassifiziert, dann lasst ihr Raum für das Wissen, mit dem ihr euch die Möglichkeit bietet, alles – wirklich alles – so zu erleben, wie es ist. Als das, was es für euch bedeutet. Als das, was es an Intention, Verhalten und Wille demonstriert.

Nehmen wir als Beispiel eine Hunderasse, die als »gefährliche« Züchtung gilt. Wächst ein Exemplar dieser Rasse mit Liebe und Fürsorge auf, wird es diese Umgebung und Schwingung widerspiegeln – und euch bis ans Ende seiner Tage lieben und mit Fürsorge behandeln. Wird es dazu erzogen, anzugreifen und Angst zu haben, dann wird es aus Angst und Wut angreifen, sowohl auf Befehl seines Besitzers als auch in Form einer automatisierten und getriggerten Reaktion, die auf seinen Ängsten und Erfahrungen beruht.

Auf der Erde sind Repräsentanten vieler Spezies zu finden. Sie haben verschiedenste Formen und stammen aus der gesamten Galaxis, und ja, es gibt auch intelligente außerirdische Mantis-Wesen, die vornehmlich hier sind, um den *Homo sapiens* zu studieren. Aber was sie tun, ist nichts anderes als das, was eure eigene Art in Laboratorien anstellt: genauso untersucht und seziert ihr Tiere.

Sie haben nicht die Absicht, Schaden anzurichten oder Böses zu tun, sondern wollen einfach nur mit derselben Kälte wie eure Labortechniker Informationen gewinnen und nutzen dazu ein »Exemplar«.

Führt euch vor Augen, dass eure Wissenschaftler in ihren Laboren an allen Tierarten von der Biene bis hin zum Mammut schmerzvolle, grausame und qualvolle Experimente durchführen, um an Informationen zu gelangen.

Wenn diese Tests enden, werden vielleicht auch die Außerirdischen aufhören, dasselbe mit Menschen zu tun – denn sicher denken sie, wenn ihr als Täter nicht die Souveränität anderer Spezies wahrt, dann könnt ihr in der karmischen Ordnung der Dinge nicht erwarten, dass andere die eure wahren.

Dass ihr persönlich womöglich eine so freundliche Seele seid, dass ihr niemals einem anderen Wesen schaden würdet, und dass dies auch für ein Individuum gelten mag, das für eine Entführung ausgewählt wurde, ist für die Wesen, die eure Spezies in ihrer Gänze untersuchen wollen, nicht von Belang.

Verzeiht, wenn es jetzt vielleicht etwas politisch wird, aber diese Frage beschäftigt mich doch schon sehr: Am 20. Februar 2019 verkündete Donald Trump der Menschheit von der Air Force Base in San Diego aus, dass er eine Weltraumarmee ins Leben rufen wird, die U.S. Space Force. Wenig später zog der französische Staatspräsident Emmanuel Macron übrigens nach und erklärte, auch er wolle jetzt eine solche Streitmacht aufbauen.

Auf mich wirkten Trumps Worte wie eine bewusst noch dezent gehaltene Verlautbarung, mit der man versucht, die Menschen an den Gedanken einer militärischen Weltraumflotte, fernab jeder Science-fiction, zu gewöhnen. Meinem Eindruck nach will er solche Aktivitäten im Weltraum in Ansätzen bekannt machen, damit ganz offen Gelder in die teuren, bisher stets geheim gehaltenen Weltraumprogramme fließen können, die bereits seit den 1980er Jahren laufen und Billionenbeträge verschlingen. Weil immer mehr Gelder nötig sind, kann man das nicht länger verheimlichen. Stimmt das? Und handelt es sich dabei tatsächlich um den Beginn der Offenlegung bisher Geheimer Weltraumprogramme auf der Erde?

Die Offenlegung ist ein laufender, durchgeplanter Prozess, der wie eine Art Massage für das menschliche Bewusstsein abläuft: sanft, langsam, beharrlich. Ihr alle wartet auf eine große Ankündigung von einer oder mehreren Regierungen, dabei hat es sie schon längt gegeben. Astronauten, Premierminister, Geheimdienste, sogar Präsidenten haben euch davon erzählt oder wenigstens Anspielungen gemacht – aber viele Leute auf der Erde akzeptieren das nicht, weil sie einfach nicht bereit sind, es zu glauben.

Sie könnten einem Außerirdischen mitten ins Gesicht sehen und würden es immer noch nicht glauben, weil eine solche Begegnung nicht in ihr Realitätsverständnis passt.

Der aktuelle Präsident »begründet« diese Space Force nicht – sie befindet sich bereits seit eurem Zweiten Weltkrieg im Aufbau. Eure Flotten wurden bereits lange vor der von dir genannten Zeit in Betrieb genommen. Die Offenlegung wird euch nach einem durchdachten und koordinierten Plan verabreicht. Die Absicht dahinter besteht darin, die Reaktion der Menschen und – für die Drahtzieher noch wichtiger – die Evolution Künstlicher Intelligenz und den Weg der menschlichen Spezies zu kontrollieren, ehe die Erde zu einem Mitglied der galaktischen Familie wird.

Die Anführer der Geheimregierung wollen eure Reaktion kontrollieren, um den Planeten versklaven zu können. Ihnen ist nicht an eurer Erleuchtung gelegen oder daran, dass ihr selbstbestimmte Herrscher über euer eigenes Leben und den Planeten seid. Aber sie werden scheitern, denn was sie wollen, ist in dieser Zeit, in der ihr die nächsten Schwingungsebenen eures Aufstiegs hinter die physischen Ebenen verarbeitet, nicht möglich.

Wenn ihr also eine Ankündigung von irgendeinem Regierungsmitglied hört, könnt ihr davon ausgehen, dass sie bereits etablierte Realität ist – getestet und darauf ausgerichtet, einem Zweck zu dienen, der im Spektrum bewussten Verhaltens und Designs irgendwo zwischen den besten und den niederträchtigsten Absichten angesiedelt ist.

Wie sieht es diesbezüglich mit den Berichten über Kontakte, Entführungen und Begegnungen von Gruppierungen aus, die sich mit UFOs und Außerirdischen befassen?

Auf der Erde gibt es eine große Gemeinschaft brillanter Personen, die weltweit die Existenz von außerirdischen Interventionen offenlegen. Außerirdische besuchen die Erde schon seit Anbeginn der Geschichte – Aufzeichnungen darüber existieren in der antiken Literatur und eingemeißelt in Tempelwänden, die heute noch stehen.

Auch in heutiger Zeit gibt es zahllose Sichtungen und Besuche von Außerirdischen. Anhand der Berichte von zum Schweigen gebrachter Militärbeobachter bis hin zu Reportern und Zeugen aus verschiedenen Jahrzehnten, die offener sprechen können, lässt sich klar ablesen, dass ihre Präsenz seit dem Zweiten Weltkrieg deutlich zugenommen hat.

Berücksichtigt bei euren Ängsten über die womöglich finsteren Absichten von Außerirdischen bitte auch, dass mehrere ihrer Raumschiffe gejagt und abgeschossen wurden. Andere sind abgestürzt und die Piloten wurden gefangengenommen. Diese Wesen, die über Wissen über fortschrittliche Technologie, kostenlose Energie und intergalaktischen Austausch verfügen, werden in Militärbasen und Militärlabors gefangen gehalten und ausgebeutet.

Statt euch um die möglichen Absichten der Außerirdischen unter euch zu sorgen, solltet ihr euch vielleicht einmal die Frage stellen: Wie nehmen diese außerirdischen Spezies *uns Menschen* wahr? Als freundlich oder feindlich? Entsprechend fällt auch ihr eigenes Handeln aus.

Wie würdet ihr als Weltraumreisende reagieren, wenn man euren Schiffen mit Raketen, Bomben und anderen tödlichen Waffen begegnen würde?

Auf der Erde scheint ein Kampf zwischen verschiedenen Parteien stattzufinden, die versuchen, ihre Geheimen Weltraumprogramme zu etablieren und auszubauen, als wäre dies ein wichtiger Aspekt für die Erlangung der Weltherrschaft. Auf der anderen Seite versuchen sie, den außerirdischen Verkehr in und um unser Sonnensystem zu dominieren. Könnt ihr uns mehr darüber erzählen? Was sind ihre Ziele für die Menschen auf der Erde und andere Spezies? Und warum sind sie überhaupt so fokussiert darauf, andere zu dominieren?

Es gibt Kräfte, deren Ziel darin besteht, die Energie der Erde so weit wie möglich zu senken, um euch in einen Zustand zu bringen, in dem ihr komplett ihrer Kontrolle unterworfen seid. Es gibt aber auch andere, erleuchtetere Kräfte, denen bewusst ist, dass der Aufstieg unmittelbar bevorsteht – nicht nur eures Planeten, sondern des gesamten Sonnensystems.

Dies sind die beiden Enden der Fahnenstange, und sie fechten einen ständigen Kampf darüber aus, das Geschick des physischen Dichtegrads zu ihren Gunsten zu wenden.

In den vergangenen Jahren hat man sich den Informationen vom Sirius stark geöffnet, teilweise über den Umweg der ägyptischen Hochkultur, und viele Menschen fühlen sich mit euch und ihrem sirianischen Erbe sehr verbunden. Warum wir und warum jetzt?

Schon lange arbeiten Lichtwesen vom Sirius mit der menschlichen Gattung zusammen – von eurer Aussaat an über die frühesten Generationen von Atlantis … bis hin zum heutigen Tag. Unsere Kommunikation verstärkte sich an verschiedenen zentralen Punkten in der Evolution der menschlichen Entwicklung, die zu dieser außergewöhnlichen Zeit des Aufstiegs eurer Sonnengottheit hinführte. Wir erschienen als menschliche »Sternensaat« in physischer Form auf der Erde, denn wir wissen, wie wir uns in einen niedrigeren Dichtegrad zurückbegeben und die Intelligenzkodizes – die DNA – umverdrahten können, so dass wir nach Bedarf mit dem dortigen Dichtegrad mitschwingen können.

Als Wächter der Lichtreiche sind wir in dunklen Zeiten in eure Realität gekommen, um mit der Flamme der Erfahrung das Seelenlicht im menschlichen Geist zu entflammen. Wir waren da zu Zeiten gewaltiger Quantensprünge, beispielsweise zur Geburt Ägyptens, wo wir als Göttinnen und Götter antiker Pantheons verehrt wurden. Wir erschienen in den Höhlen, auf den Bergen, in den Tälern der Erdwächter, und zu jedem Zeitpunkt eurer evolutionären Reise haben wir euch bedingungslos geliebt.

Unsere Liebe ist beständig und endlos.

Aber wir müssen nicht länger unsere individuellen Entwicklungsreisen verlangsamen, um der Menschheit zu dienen, indem wir in körperlicher Form präsent werden, wie das in anderen Phasen der menschlichen Erfahrung der Fall war. Es ist nicht mehr nötig, da euer Durchschreiten des Photonengürtels und der bevorstehende Übergang der Erde durch Ras Astralkanal eure Schwingungsfelder so stark weiterentwickelt haben, dass wir euch nun zunehmend auch im Äther erreichen können, wo wir euch in den heiligen Strudeln des elektromagnetischen Außenkörpers der Erde erscheinen und durch ausgewählte Channelmedien mit euch sprechen.

Seit der Jahrtausendwende 2000 (nach eurem westlichen Kalender) hat sich unser Kontakt mit der menschlichen Gattung verstärkt – und auch der mit den Tieren, denn sie haben unsere Hilfe ebenfalls dringend nötig.

Und wir glauben, dass ihr, die Sternensamen, die auf der Erde wandeln, dies tief in euch spüren könnt.

Ihr sprecht von der »Aussaat des Homo sapiens«. *Könnt ihr bitte erklären, was ihr mit dem »Großen Experiment« meint, von dem euer Medium in der Einleitung gesprochen hat? Seit wann lebt die Menschheit auf der Erde? Wie kam es dazu? Und welche Rolle spielt seit den Anfängen der Menschheit unsere DNA, die ja von vielen verschiedenen Spezies abstammen soll, von teils fernen und teils nicht so fernen Sternen jenseits der Erde?*

Zu einer Zeit, in der Dunkelheit euer galaktisches Reich umhüllte, sorgten sich die Ältesten vom Sirius, da das Gleichgewicht in eurem Universum ins Wanken geriet und das Licht immer schwächer wurde. Es kam zu endlosen galaktischen Kriegen, besonders im Oriongürtel, einem galaktischen Bereich, der direkten Einfluss auf Sirius hat. Es war offensichtlich, dass ohne eine Intervention durch die Kraft, die wir alle als »göttlichen Beistand« bezeichnen, alle beteiligten galaktischen Territorien in die niedrigsten Frequenzen absinken und schließlich verenden würden.

Das Große Experiment rief Engelskrieger, Aufgestiegene Meister, Andromedaner, Lichtgesandte von den Plejaden, Älteste vom Sirius und Lichtgestalten aus der siebten, achten und neunten Dimension dazu auf, eine Superspezies von Lichtwesen auszusäen, die wir zuvor bereits als »die neuen Wächter des Lichts« bezeichnet haben.

Diese Spezies, eine genetisch designte, tief leuchtende Rasse, war der *Homo sapiens,* der zwölfsträngiges Licht in sich trug. Er wurde im ultimativen Garten Eden ausgesät und großgezogen – dem jungfräulichen Land der Erde, einem der vollkommensten Planeten im Universum.

Warum euch ein Teil eurer DNA entnommen wurde und wie der Mensch mit nur zwei Strängen endete, ist ein tiefgreifendes Thema, auf das wir in früheren Mitteilungen bereits ausführlich eingegangen sind. Aber ihr sollt wissen und verstehen, dass das Eingreifen in die menschliche DNA zu diesem Zeitpunkt, an dem viele von euch den schlafenden Strang reaktivieren, dem Ziel dient, dem Prozess entgegenzuwirken und euch davon abzuhalten, euer Schicksal des Lichts und der evolutionären Expansion zu erfüllen.

Wie ihr selbst immer wieder erklärt, ist der Aufstieg nicht auf unser Sonnensystem beschränkt und hat Auswirkungen auch auf andere, sehr weit von uns entfernt beheimatete Spezies – beispielsweise erhalten sie dadurch die Möglichkeit, ihren eigenen Aufstieg in andere Dimensionsreiche zu realisieren. Sehe ich das richtig?

Jedes Mal, wenn für einen Stern die Zeit gekommen ist, zu gehen und in einen neuen Zustand bewussten Gewahrseins hineinzuwachsen, steigen alle planetaren Wesenheiten, die um diesen Stern kreisen und sein Licht reflektieren, mit ihm auf. Eure Wissenschaftler bezeichnen das als den »Tod« eines Sterns, da die Wissenschaft noch immer nicht begriffen hat, dass der Tod eines jeden Wesens nichts weiter ist als ein Übergang in einen neuen Seinszustand. Die evolutionäre Weiterentwicklung aus dem materiellen Universum zu höher entwickelten Schwingungsschauplätzen ist die natürliche Ordnung der Dinge, und ja: Alle Wesen steigen die Leiter der Seelenevolution empor. Alle Lebewesen, alle Planeten, Sterne und ganze Galaxien ändern eines Tages ihre Molekularstruktur, so dass der Raum zwischen den Atomen und den subatomaren Aspekten größer wird. Das ist vor allem eine Frage der Transzendenz.

Besteht eine Chance auf kosmischen Frieden oder ist der aktuelle Zustand nun einmal der natürliche Lauf der Dinge, im Weltall genauso wie in unserer Welt und allen anderen?

Es existiert ein florierendes, kollaboratives Universum bewusster Wesen, die Krieg und Getrenntsein evolutionär überwunden haben. Sie erschaffen wunderbare Erfahrungen im ganzen Universum. Und auch ihr werdet nun, da sich der Vorhang hebt, bald Mitglieder dieses Kollektivs werden. Seht es vor eurem inneren Auge. Richtet euren Fokus neu aus und ihr werdet wissen, dass Frieden existiert und dass der Wunsch nach Frieden – und nach Liebe und Einheit – weitaus größer ist als der Blutdurst, der einhergeht mit Macht, Grausamkeit und Getrenntsein.

Greift jetzt danach, denn all das befindet sich in eurer Reichweite.

Ich würde diesen Augenblick gern nutzen, um euch zu danken – für all das, was ihr der Menschheit im Laufe der Zeitalter geschenkt habt, und für die Weisheit, die ihr über eure Schriftführerin Trydjya von Antares zu uns gebracht habt.

Wie freundlich von dir! Vergesst nicht, dass wir sind wie ihr, nur dass wir in der Evolutionsspirale, die zurück zur Quelle führt, bereits einige Schritte weiter sind. Und vergesst außerdem niemals: Ihr seid nicht allein. Kräfte des Lichts verfolgen die Ereignisse auf der Erde und wir achten darauf, euch den Raum zu lassen, karmische Befreiung zu erlangen, statt von außen das Gleichgewicht herzustellen, das zu justieren ihr hergekommen seid.

Wir vertrauen darauf, dass ihr auf diesen Seiten vieles finden werdet, das die leeren Stellen in dem Puzzle füllen kann, um das eure Gedanken so beharrlich kreisen, und dass Ruhe und Frieden in den Ozean eurer Emotionen einkehrt.

Wir sind der Hohe Rat vom Sirius.

Schlusswort

Nach allem, was ich auf diesen Seiten erfahren habe, und der tiefen Sorge, aber auch der Heilung, die entsteht, wenn man mehr über die turbulente und gleichzeitig aufregende Zeit erfährt, die uns bevorsteht, staune ich darüber, mit welcher Geschwindigkeit die Management-Teams des Planeten Erde die Entwicklung und Vermarktung von Künstlicher Intelligenz vorantreiben und wie deutlich ihre Absicht ist, Macht über die gesamte Welt zu erlangen.

Uns, die wir erkennen, wohin die Menschheit dadurch geführt werden soll, erfüllt diese Entwicklung mit tiefer Sorge.

Es gibt robotische Bienen, die erschaffen wurden, um die Bestäubung vom Aussterben bedrohter Arten zu übernehmen. Ironischerweise gibt es auch robotische Mücken, die dazu dienen, Krankheiten zu verbreiten und anderen den Tod zu bringen. Dies ist kein Krieg gegen die Menschheit allein. Es ist ein Krieg gegen das vollkommene Gleichgewicht der Natur – gegen ein Gleichgewicht, das die göttliche Essenz Gaias ausmacht. Es ist ein Krieg gegen die natürliche Intelligenz, die auf jeder Ebene von Emotionen getränkt und gefärbt ist mit dem Wunder der Schöpfung – einem Werk von göttlicher Kunstfertigkeit. Und dennoch existieren Kontrollelemente, die glauben, dass Roboter und Maschinen es besser machen könnten. Es gibt Wesen, die entschlossen sind, alles, was ihnen in den Weg kommt, in ein kaltes, mechanisches und gefühlloses System zu verwandeln, schlichtweg deshalb, weil es ihrer Meinung nach effizienter ist.

Es ist nicht viel Zeit vergangen, seit ich begonnen habe, die neuen *Lichtbotschaften vom Sirius* zu channeln, und dennoch hat sich die Technologie währenddessen in verblüffendem Tempo weiterentwickelt. Von verschiedenen Arten robotisch gesteuerter Überwachungssysteme über Biometrie und digitalisierte Identifizierungsmöglichkeiten bis hin zu verhängnisvolleren Bereichen wie RFID-Chips, die in Babys und Erwachsene implantiert werden, ist nicht zu übersehen, dass mit aller Entschlossenheit an einem Feldzug gearbeitet wird, mit dem die Menschheit ihrer Essenz, Intelligenz und Souveränität beraubt werden soll – durch Kräfte, die es sich zum Ziel gesetzt haben, den gesamten Planeten zu kontrollieren und unsere Spezies vollständig zu eliminieren.

Wir als Zivilisation sind allzu bereitwillige Teilnehmer dieser Kampagne. Wer verbringt nicht gern ganze Stunden am »Smart«-Phone oder dem Computer? Wen lockt nicht das Versprechen »smarter« Geräte, die uns das Denken, das Planen, verschiedene Aufgaben und Aktivitäten abnehmen, die einfach nur einen Teil des Lebens bilden, das genauer kennenzulernen wir doch ursprünglich hier auf die Erde gekommen sind? Und wenn die Roboter erst einmal die gesamte Industrie, den gesamten Kommerz übernommen haben – was dann? Was wird dann aus der Menschheit?

Die Zeit ist gekommen, uns die Macht zurückzuholen, die wir an die außer Kontrolle geratene Technologie und unsere Geräte abgegeben haben. Es ist an der Zeit, uns auf das absolut Nötigste zu reduzieren und uns so weit wie möglich unabhängig von der Technologie zu machen. Der Rat sagt dazu:

»Euer Körper ist ein perfekter Biocomputer, angefüllt mit dem Wissen und den Informationskodizes der gesamten Schöpfung. Nichts kann sein Potenzial übertreffen – keine Künstliche Intelligenz könnte ihn verdrängen. Ihr mögt zwar glauben, dass Computer und hochentwickelte Technologien den Menschen übertreffen können, aber das stimmt nicht. Euer biologischer Aspekt verarbeitet die unendlichen Daten, die nötig sind, um nur einen einzigen Finger zu bewegen, so atemberaubend schnell, dass es euer Vorstellungsvermögen übersteigen würde, wenn ihr je bewusst darüber nachdenken würdet. Aber natürlich nehmt ihr das als gegeben hin … und denkt, wenn überhaupt, nur selten über die außergewöhnliche Intelligenz und spirituelle Beschaffenheit nach, die jede einzelne Zelle eures Körpers aufweist.«

An diese Großartigkeit erinnert zu werden, spendet mir großen Trost, wenn die Angst und Sorge vor dem Ergebnis dieser Entwicklung in mir Überhand zu nehmen drohen. Und mit diesem Gedanken möchte ich mich nun vorläufig von Ihnen verabschieden. Ich möchte die Großartigkeit des menschlichen Geistes und unserer angeborenen Weisheit betonen und Sie alle daran erinnern, dass wir – selbst reduziert auf zwei DNA-Stränge – durch und durch wunderbare, kosmisch ausgerichtete Bio-Einheiten sind, in denen sich Bewusstsein in einer Form manifestiert!

Wir sind zu unbeschreiblichen Leistungen in der Lage – Wunderwerken der Kunst, des Intellekts und der Liebe, und das kann keine Maschine und keine Technologie jemals ersetzen. Stellen Sie sich nur vor, wozu wir in der Lage sein werden, jetzt, wo wir immer mehr von der »Junk«-DNA – den schlafenden Lichtsträngen – in uns neu weben!

Mögen wir Ruhe finden in dem Wissen, dass wir, die erwachende Menschheit, im Vordergrund und nicht im Schatten stehen und dass diese Bedrohung für die Souveränität des Menschen ebenso wie alle anderen dem Licht unserer galaktischen Evolution wird weichen müssen. Dort ist das Ziel, gleich da vorne, direkt vor uns!

Wir müssen nur noch diesen einen Hügel erklimmen, ehe wir uns in den goldenen Sand des Friedens legen und uns in der Schönheit von Allem-was-ist, Allem-was-je-war und Allem-was-je-sein-wird sonnen können.

Danksagung

Und nun, zum Abschluss dieses neuen Bandes mit *Lichtbotschaften vom Sirius*, möchte ich noch ein besonderes Dankeschön an den wunderbaren Michael Nagula aussprechen, den Gründer und Programmleiter des AMRA Verlags, der die Lehren des Hohen Rates vollauf unterstützt und alles dafür getan hat, sie Ihnen, den Leserinnen und Lesern, zugänglich zu machen – beginnend mit meinen Beiträgen in den von Martine Vallée herausgegebenen Anthologiebänden des Kryon-Mediums Lee Carroll und später dann mit dem Buch *Bevor wir euch verlassen,* in dem die Delfine und Wale, Gesandte vom Sirius, ihren Frieden mit der Menschheit schlossen. Danke, Michael, dass du dich auch der neuen Botschaften angenommen hast, die in diesen Zeiten so wichtig sind.

Mein Dank gilt außerdem dem gesamten Team von AMRA, allen Lektoren, Grafikern und Marketingmitarbeitern, die an dieser Ausgabe mitgewirkt haben. Meine Dankbarkeit ist euch gewiss – für die hervorragende Arbeit, die ihr geleistet habt, um die Integrität der Arbeit und der Worte des Hohen Rats vom Sirius zu respektieren und ihre Botschaften einem deutschsprachigen Publikum zugänglich zu machen.

Möge die Vision des Sonnenaufgangs euch den Weg weisen, in dem Wissen und Vertrauen, dass Spirit das kosmische Design webt und dass trotz allen Aufruhrs eine göttliche Ordnung in allem ist – überall und in jedem Augenblick!

Eure
Patricia Cori

Patricia Cori

Die weltbekannte Autorin, Rednerin und Aktivistin für Menschen- und Tierrechte, eine Kämpferin für den Planeten Erde, stammt aus der Nähe von San Francisco. Sie ist erwiesenermaßen hoch medial und bewandert in Mystizismus, Philosophie, alten Kulturen, metaphysischen Heilkünsten, Spiritualität und unerklärlichen Mysterien. Über all diese Themen hält sie regelmäßig Vorträge auf der ganzen Welt.

Sie gilt als Kapazität auf ihren Fachgebieten, und ihre Arbeit wird nicht zuletzt deshalb so sehr geschätzt, weil sie den Status Quo unserer Gesellschaft infrage stellt und dem menschlichen Gewahrsein neue Perspektiven eröffnet.

Cori ist ein prominentes Mitglied der spirituellen Gemeinschaft und in internationalen Vortragskreisen bekannt dafür, dass sie aktiv Kurse, Seminare und Workshops zu einer großen Bandbreite an Themen anbietet, die ihr weitgefächertes Wissen über alternative Heilungsmethoden reflektieren. Sie verfügt über die außergewöhnliche Gabe, anderen zu helfen und in uns allen die Flamme der Kraft zu entzünden.

Von indigenen spirituellen Lehrern der tibetischen, peruanischen und Maya-Tradition wurde sie als Schamanin anerkannt und von den Schamanen von Palenque als einer der vier spirituellen Wächter dieser heiligen Stätte identifiziert. 1996 gründete sie den LightWorks-Reiseclub SoulQuest™ Journeys und führte noch im selben Jahr eine Gruppe von spirituellen Reisenden nach Nepal und Tibet. Seitdem begleitet sie Reisegruppen zu heiligen Stätten in Asien, Mexiko, Ägypten, Europa und Peru, zu den Kornkreisen in England und zum Delfinschwimmen auf die Azoren, um das Potenzial der Interaktion zwischen den Arten zu erkunden und unsere Empfänglichkeit für die Welt, die uns umgibt, zu erhöhen. Stets konnte sie dabei Portale öffnen und den Menschen helfen, einen Blick hinter den Vorhang zu werfen.

Schon ihre frühen Bücher, besonders die Trilogie *The Sirian Revelations*, von der zwei Bände unter den Titeln *Kosmos der Seele* (2004) und *Keine Lügen, keine Geheimnisse mehr* (2006) auch auf Deutsch erschienen sind, galten als Weckrufe für das sich erweiternde Bewusstsein der Menschheit. Kurz vor der Zeitenwende wurden dann besonders ihre Beiträge in den Büchern *Die Große Veränderung* (2009), *Das Bewusstsein der Neuen Zeit* (2010) und *Neue Zeit* (2012) zu wegweisenden und kraftspendenden Werkzeugen. Sie veröffentlichte darin Seite an Seite mit Lee Carroll und Tom Kenyon, herausragenden Sprachrohren von Kryon und den Hathoren, neue Botschaften des Hohen Rates vom Sirius. Danach erschienen Channelings der Wale und Delfine, die auf Deutsch gesammelt als *Bevor wir euch verlassen* (2013) herauskamen, gefolgt von den hier vorliegenden Lichtbotschaften der Sirianer.

Für das weltweite Publikum der Suchenden gelten ihre Durchsagen aus der geistigen Welt als unerlässliche Lektüre. Erfahren Sie mehr über ihre Kurse, Workshops und Vorträge in englischer Sprache auf www.PatriciaCori.com.

Im Juli 1996 wurde Patricia Cori während einer außerkörperlichen Reise durch die Milchstraße und andere Galaxien mit einer Gruppe interdimensionaler Lichtwesen verbunden und darauf eingestimmt, die Übermittlungen des Hohen Rates vom Sirius zu empfangen und niederzuschreiben. Während ihrer bemerkenswerten Mission als deren Schriftführerin hat sie die sirianischen Lichtbotschaften aus der sechsten Dimension in Büchern mitgeteilt, die in den letzten Jahrzehnten den Leser transformiert haben. Jetzt, mehr als zwanzig Jahre nach dem Datum der ersten Übermittlung, teilt Cori weiteres Wissen mit, das die Richtigkeit vergangener Prophezeiungen bestätigt und neue Visionen an die Menschheit weitergibt, während wir durch die äußeren Bereiche der vierten Dimension in höhere Ebenen des Bewusstseins und Parallelrealitäten aufsteigen ... in Vorbereitung auf unser bevorstehendes Erwachen.

Lob für die Channelings

»Unermesslich in ihrer Weitsicht prophezeien die *Lichtbotschaften vom Sirius* eine planetare Erneuerung, die ebenso deutlich wie überzeugend den Kosmos mit dem kollektiven Bewusstsein unserer globalen menschlichen Gemeinschaft verbindet.«

Michael Bernard Beckwith, Autor von
Entscheide dich für die Freiheit

»Die Sprecher des Hohen Rats vom Sirius übermitteln uns eine zutiefst fundamentale Bestätigung für die wissenschaftliche Grundlage der Entdeckung des Omniversums.«

Alfred Lambremond Webre, Autor von
Das Omniversum

»Ich habe alle Bücher von Patricia Cori gelesen und jedes einzelne davon geliebt – ihre neuesten Channelings sind aber bislang die mit Abstand besten. Aus meiner Sicht zählen sie zu den wichtigsten Mitteilungen, die mir jemals untergekommen sind. Ihre Lichtbotschaften vom Sirius strotzen nur so von Weitsicht, Hoffnung und Wahrheit und sind unerlässlich für jedes denkende Wesen auf diesem Planeten!«

Peter Brightman, CEO der
International Entertainment Corporation

»Vor über zwanzig Jahren begann ein Kollektiv aus der sechsten Dimension, der Hohe Rat vom Sirius, eine Reihe aufsehenerregender Botschaften an sein Medium Patricia Cori zu übermitteln. Ihre neuen Botschaften sind schlicht und ergreifend die besten und wichtigsten, auf die ich jemals gestoßen bin. Aus jedem Wort spricht Wahrheit, jedes Wort erhellt den Weg, der vor uns liegt. Dürfte ich nur eine einzige Lektüre mit auf eine einsame Insel nehmen, es wären diese Botschaften!«

Bruce Steffek, Psychotherapeut und Co-Autor
von *Helping People Change*

»Patricia Cori hat mir wieder einmal gezeigt, was für eine intensive Liebe der Hohe Rat vom Sirius für uns hegt – in einer reichen Sprache und anhand einer Themenvielfalt, die auf komplexe Weise beschreiben, welche Schönheit die Menschheit erwartet. Was der Rat in seinen Lichtbotschaften enthüllt, hat mich auf tiefster Ebene berührt, meine Perspektive auf unsere kosmische Realität erweitert und mein Erwachen beschleunigt.«

Maarten Horst, Gründer von
ET-First Contact Radio

»Ein beeindruckend ehrlicher und gleichzeitig liebevoller Weckruf aus der sechsten Dimension an alle Lebewesen unseres Sonnensystems: menschliche, irdische und kosmische. Während dieser bedeutsamen Phase unserer kollektiven Entfaltung und unseres gemeinsamen Aufstiegs bieten uns Pats Lichtbotschaften vom Sirius ein Bewusstsein für das große Ganze und unsere Entscheidungsfreiheit, in der großen Sinfonie der Schöpfung eine wichtige Rolle einzunehmen. Was für ein Geschenk hat Patricia Cori der Menschheit damit zugänglich gemacht!«

Kristin Hoffmann, Komponistin, Produzentin
und darstellende Künstlerin

»Die *Lichtbotschaften vom Sirius* sind die ultimative Quantenreise, ein Weckruf für unsere heutige Zeit. Ehrfurcht und Pragmatismus vereinen sich auf dieser Reise durchs Universum, die thematisch von den Galaxien bis zur Schwerkraft reicht. Sie sind eine unerlässliche Lektüre für jeden, der bereit ist, sich zu entscheiden: Will ich Konsument bleiben oder Verantwortung übernehmen? Diese Botschaften geben uns Anlass zur Hoffnung: Sie sind ein kraftspendender Reiseführer für eine neue, herzzentrierte Welt. Patricia brilliert als Channelmedium, indem sie die multidimensionale Perspektive der Sirianer zu einem spannenden Leseerlebnis verarbeitet.«

Mags MacKean, Autor von
The Upside Down Mountain

»Wir müssen Pats Botschaften vom Sirius unbedingt Beachtung schenken. Unser Eintritt in die galaktische Phase der Koexistenz steht unmittelbar bevor, und es ist von höchster Wichtigkeit, dass wir in unserer Kommunikation, besonders der telepathischen, Urteilsvermögen beweisen. Hören Sie genau und ohne Vorbehalte hin, was der Rat zu unserem Aufstieg zu sagen hat, und beherzigen Sie seine Warnungen – sonst trifft es Sie womöglich aus heiterem Himmel und Sie stürzen zurück in die Matrix. Die *Lichtbotschaften vom Sirius* enthüllen unseren letzten Schritt in Richtung vollständiger Souveränität, ohne dabei etwas zu beschönigen – unbedingt lesen!«

Debbie West, Journalistin, Moderatorin auf *Lost Knowledge Radio* und Sprecherin des *Extraterrestrial Civilisation Scientific Research Network*

Liebe Leserinnen, liebe Leser,

in der Wissenschaft wird heute noch weitgehend ein materialistisches Weltbild vermittelt. Dabei weisen die Arbeiten der Pioniere der Quantenphysik und der Metaphysik darauf hin, dass das materielle Universum nur die erste Ebene einer multidimensionalen Realität ist.

Das Buch *Das Omniversum* gibt eine sachliche und zugleich sehr mutige Übersicht über die neuesten Erkenntnisse, Theorien und Szenarien der vielseitigen Forschungen in den Grenzbereichen unserer materiellen Erfahrungswelt. Es ist wie ein Zwischenbericht über das, was sich in der Quantenphysik, in der UFO-Forschung, in der Parapsychologie und im Remote Viewing als sich gegenseitig ergänzende Erkenntnisse herauskristallisiert. Die Forschung hat hier erst begonnen, und viele Sichtweisen werden sich noch erweitern oder auch ändern, aber an dem, was Alfred Lambremont Webre hier präsentiert, kommt man nicht vorbei.

»Noch immer ist man überall auf der Welt geteilter Meinung darüber, ob wir allein im Kosmos sind«, schreibt der Autor. »Nicht zuletzt deshalb, weil man der Weltöffentlichkeit das tatsächlich existierende Wissen über die Rolle von außerirdischen intelligenten Zivilisationen auf der Erde vorenthalten hat. Die Wissenschaft braucht eine neue Hypothese. Wollen wir das Omniversum verstehen, müssen wir die Grenzen der gegenwärtigen Wissenschaft überschreiten.«

Wäre der Autor nicht eine ausgewiesene Kapazität, würde man wahrscheinlich einige der Berichte, wie zum Beispiel die im Untertitel erwähnte geheime Marskolonie, sogleich als Spinnerei oder Science-fiction abtun. Aber Webre arbeitete als Zukunftsforscher am Stanford Research Institute und leitete die von Jimmy Carter initiierte »White House Extraterrestrial Communication Study«.

Noch ist unklar, welche Berichte und Szenarien sich letztlich als real herausstellen werden, doch eines ist sicher, und das betont auch der Autor: Mit dem bevorstehenden globalen Wandel werden sich viele schulwissenschaftliche und religiöse Überzeugungen wandeln müssen. Das Wissen um das Omniversum und den Menschen als »omniversales« Wesen ist hierbei ein entscheidender Schlüssel.

Mit besten Wünschen
Ihr Armin Risi

Armin Risi, geboren 1962 in Luzern, lebte achtzehn Jahre lang als Mönch in vedischen Klöstern in Europa und Indien und gehört zu den wichtigsten spirituellen Denkern unserer Zeit. Er schrieb zahlreiche Grundlagenwerke zum aktuellen Paradigmenwechsel, darunter die Trilogie *Machtwechsel auf der Erde, Gott und die Götter, Unsichtbare Welten* (2006-2008), *Ihr seid Lichtwesen* (2013) und – zusammen mit Sophia Pade – die Michael-Jackson-Biografie *Make That Change* (2019).

Eva Marquez
SEELENHEILUNG und energetischer Schutz
Befreiung von Besetzungen, außerirdischen Implantaten und negativen Einflüssen
224 Seiten, gebunden, oranges Leseband
€ [D] 19,99 / € [A] 20,60 • ISBN 978-3-95447-352-6

Wie erkennt man blockierende Energien? Wie kann man sich davon befreien? Wie schützt man sich und andere energetisch? Wie heilt man tiefgehende seelische Verletzungen und erinnert sich umfassend an sein Wissen als Heiler? Mit Unterstützung der Plejader erklärt Eva die Ursachen blockierender Energien.

Alles, was du wissen musst, um durch Übungen, Meditationen und Behandlungen den Weg in die geistige Freiheit zu gehen.

Eva Marquez
DNA-Aktivierung durch die kosmische Familie
Kontakte mit den Plejaden, Sirius, Andromeda, Centaurus, Epsilon Eridani und Lyra
208 Seiten, gebunden, oranges Leseband
€ [D] 19,99 / € [A] 20,60 • ISBN 978-3-95447-335-9

Du erfährst etwas über verschiedene Sternenvölker der Menschheitsfamilie und kannst mit ihnen in Verbindung treten. Wenn sie deine ursprünglichen Vorfahren sind, steigen beim Lesen vielleicht Erinnerungen in dir auf, und deine spirituelle DNA wird aktiviert. Du wirst unwillkürlich auf die Energie eingestimmt, die dir in deinem jetzigen Leben am meisten weiterhilft.

»Kosmische Liebe und diese wundervolle Lichtfrequenz.«
– Aus dem Vorwort von Pavlina Klemm

Eva Marquez & Sayama:
Übungs-CDs der Plejader

DNA-Aktivierung durch die Sprache des Lichts
Seelenheilung und Wiederanbindung an unsere kosmische Familie
71 Min; € [D/A] 19,99 • ISBN 978-3-95447-348-9

Kontaktaufnahme mit der kosmischen Familie
Energetische Übungen verschiedener Sternenvölker
78 Min; € [D/A] 19,99 • ISBN 978-3-95447-268-0

Alle Erinnerungen über dein wahres Wesen liegen in deinem Inneren – deiner DNA – verborgen. Seelenheilung kann deine DNA aktivieren und dich mit deinem kosmischen Erbe verbinden.

Neue Botschaften regelmäßig auf www.AmraVerlag.de

Pavlina Klemm
Lichtbotschaften von den Plejaden 4
Deine Heilung durch kosmische Liebe
224 Seiten, gebunden, oranges Leseband
€ [D] 19,99 / € [A] 20,60 • ISBN 978-3-95447-349-6

Der Zustrom positiver Energie nimmt weiter zu. Die aktuellen Botschaften vermitteln ein noch tieferes Verständnis der kosmischen Gesetzmäßigkeiten. Wir erleben die Rückholung von Seelenfragmenten, die Aufhebung negativen Denkens und die Stärkung der weiblichen Kraft. Jedes Kapitel ist mit positiver Energie aufgeladen, die das Energiesystem des Lesers stärkt.

Zahlreiche Übungen unterstützen den Aufbau unserer neuen lichtvollen Physiologie.

Jetzt auch als Audio Book

Pavlina Klemm
Lichtbotschaften von den Plejaden 5
Dein Schlüssel zum Goldenen Zeitalter
224 Seiten, gebunden, oranges Leseband
€ [D] 19,99 / € [A] 20,60 • ISBN 978-3-95447-367-0

Das Bewusstsein der Menschheit wächst. Unaufhaltsam nähert sie sich dem Goldenen Zeitalter an. Eine Elite von Lichtwesen hilft bei der Realisierung und bei der Rettung unseres Planeten. Sie hat sich unter uns verteilt, weniger feinstofflich, so dass sie auch in Konfliktbereiche gehen können. Sie verbinden sich mit dem Licht und dehnen es in alle Dimensionen, Räume und Zeiten aus.

Vorwort von Jeanne Ruland.

Pavlina Klemm & Sayama:
Übungs-CDs der Plejader

Meditationen und Übungen für das Goldene Zeitalter (CD 6)
78 Min; € [D/A] 19,99 • ISBN 978-3-95447-369-4

Rückholung verlorener Seelenanteile und Heilung von Mutter & Kind (CD 5)
78 Min; € [D/A] 19,99 • ISBN 978-3-95447-366-3

Heilung von Körper und Seele durch kosmische Liebe (CD 4)
78 Min; € [D/A] 19,99 • ISBN 978-3-95447-351-9

Klangmeditation zur Wiederanbindung der DNA-Stränge [Reiner Klang]
70 Min.; € [D/A] 19,95 • ISBN 978-3-95447-332-8

Hörproben aller Stücke der CDs auf www.AmraVerlag.de